JN048295

1時間でホロスコープが
読めるようになる本

# 星よみの教科書

星読みコーチ
だいき

KADOKAWA

# はじめまして！
# 星読みコーチのだいきです。

この度は、『星よみの教科書』を手に取って頂き、ありがとうございます。

本書は「1時間でホロスコープが読めるようになる本」です。もしかしたら「星占いは好きだけど、そもそもホロスコープって何？」という方もいるかもしれませんね。

ホロスコープとは、かんたんに言うと、「あなたが生まれた時刻に、どの方向に星があったのかを示したもの」。そして、ホロスコープを使って、運勢や性格を鑑定することを「星よみ（西洋占星術）」といいます。

「分厚い専門書を読んで、星よみの勉強をしたけど、難しくて挫折した」という方の声が聞こえてきます。ご安心ください。星よみに必要なのは、特別な才能や、膨大な専門知識ではなく、誰でも理解できるシンプルな「鑑定メソッド」です。

この鑑定メソッドこそが、「1時間でホロスコープが読めるようになる」理由です。

本書で紹介する、鑑定メソッドの具体的な内容は、

①算出サイトを使って、ホロスコープを出す
②鑑定テンプレに穴埋めする
③穴埋めしたキーワードを文章で繋げる

この3ステップです。

初心者用の鑑定テンプレの場合。「算出サイトでホロスコープを出すのに、3分。1つの天体の穴埋めと、キーワードを繋げるのに、5～6分」かかるとして、合計60分。これで鑑定は完了。「あなたの取扱説明書」の完成です。

僕も、星よみに興味を持ってから、何十冊も専門書を読み、セミナーも受講してきました。
でも、どうしても理解できなかった……。
だからこそ、誰でも使える「穴埋め式・鑑定テンプレ」を作り、専門用語は極力までかんたんに、かみ砕いて説明しています。誰もがつまずく「アスペクト」も、漫画で楽しく学べます。

嬉しいことに、運営するオンラインスクールでは、プロの鑑定士も数多く輩出しています。
もちろん、今、読んでくださっている皆さんと同じように、「ホロスコープって何？」という、超初心者の方もいましたし、「何度も挫折して、たどり着いた」という方もたくさんいました。
この本は、あなたにとって最後の「星よみ本」となるはずです。

楽しく、サクサクと、1時間でホロスコープを鑑定していきましょう。
ぜひ、最後までおつき合いくださいね！

星よみって難しい？
私、ココ。今、星よみを勉強しているんだ！
星よみで自分のことをもっと深く知りたい。悩みや不安を自分で解決できるようになりたいの
HOROSCOPE
ホロスコープって面白いよね
自分が知らない自分のこともわかるし、周りの人の隠れた部分もわかっちゃう
とはいえ
難しい…
おやおや〜
※注・壁
HOROSCOPE
ココさん、お困りですね
ふっふっふっ…！
あなた、誰!?
壁….

いきなり紹介
よろしくね!
コーチ7年目
講座と個人セッションを合わせて約1万時間
オンラインやSNSを通して星よみ情報を発信中♪
だいきでーす!
はーーい!
僕も何十冊本を読んでもわからなかったよ
え!?ホント?
センスがないと、ホロスコープって読めないのかって思ってた!
Non Non!
それは違うよ
慣れないとホロスコープって難しいよね。わかるわかる
誰でもホロスコープは読めるんだよ
ただね これまではホロスコープの読み方って体系化されていなかったから、理解ができない人が多かったんだよね
ほとんどの場合、感覚的に表現されていることが多かった。つまり、料理の完成写真は公開されているけれど、レシピがちゃんと説明されていないのと同じ状態だったんです
コレ
急にシェフ!?
だから
自分の鑑定方法でホロスコープを作ったんだ

# 1時間で読めるだいき式星よみ

1. シンプルなテンプレの穴埋め式だから誰でもできる
2. 難しい言葉を使わず解説しているからわかりやすい
3. 理解すべきは50の専門用語だけ！

自分だけじゃなくて周りの人も!?
なんですって!?
で、でも、それっぽい話し方ができないし……
語彙力もないし……
ドョーーン
もじもじ
キラーーン
シンプルなテンプレートの穴埋め式だから誰でもできる
難しい言葉を使わず解説しているからわかりやすい
理解すべきは50の専門用語だけ！
1の「穴埋め式」というのがポイント。テンプレに書いていくだけだから、1時間もあれば鑑定できるんだ
そんなに早くできるの？
ホ、ホント?!
ちょっと晴れた？
説明だけだとわかりづらいと思うから
まずはココさんを占ってみるね
ココさん

まずは
ホロスコープの出し方
だけど
フムフム…
これはWebのホロスコープ算出サイトを利用して。無料で使えるものもたくさんあります
初心者におすすめ
・「GoisuNet」
より詳しく鑑定したい場合は
・「Astrodienst」
etc.
算出サイトを使えば、生年月日と生まれた時間、場所を入れるだけでホロスコープが出てきますよ
ポチポチ
ここね！
ココだけに違
?
生まれた時間か……わからないから適当に入れてもいいのかな？
なるべく正確な時間を入れて欲しいな。わからない時は昼の12時に設定するのが一般的だけど、もし夜の0時に生まれていたら、生まれた時間と12時間もズレてしまう。
そうすると、月や水星、太陽、土星、木星といった天体の位置が、本当に入っていた場所と比べた時に、正反対になってしまうくらいズレてしまいます。
一番いいのは、ご両親に聞いたり、母子手帳で確認することですね
※どうしてもわからない場合は、アセンダントを使って出す方法もあります。
アセンダントは、ホロスコープの左側にACもしくはAscと表記されているもので、本人が一番自覚しやすい性格のこと。
例えば、自分の性格がおひつじ座っぽいと思うなら、アセンダントにおひつじ座がくるように生まれた時間を合わせていきます。
詳しくはP143を見てください
真剣！
フムフム…！

ココさんのホロスコープはこれ！
本当だ、かんたんに出た！
ココさんは1ハウスおうし座だから
マイペースなところがありそうだね。
月とうお座がセットになっているから、
嫌なことがあった時に、
「気にしてないよ！」と言って水に流そうとしても、
時間が経つに連れて、
気持ちが沸々していくことがあったりしない？
とても繊細な心をしているね
1ハウス？
月とうお座がセット??
魚は好きだけど…
初めて聞くとよくわからないけれど、
誰でもわかるようになるから
安心してね！
じゃあ次はホロスコープについて解説します
本能…

ホロスコープとは?
そもそもホロスコープとは、その人の取扱説明書みたいなもの
ホロスコープを使って鑑定すれば、自分の適性がわかるようになるんだ。他人の適性もわかるから、どう接すれば良いのかがわかって、信頼関係が築きやすくなったりもしますよ
適性が把握できるから、人事にも使えるかもね
サインとは
円を取り囲むように記号が見えるよね。おひつじ座とかおうし座とか、12星座占いで登場するものだから、なじみがある人も多いはず
円が12こに分かれていて、1から12の数字が書かれているよね。それがハウス
ハウスとは
天体とは
ハウスの中にある♀とか♃などの見慣れない記号は天体を表している
アスペクトとは
そして、天体と天体を結んでいる線をアスペクトっていいます
サイン、ハウス、天体、アスペクトについては後で詳しく解説しますね
サイン
星座のこと。雑誌やテレビでの「星占い」で使われる、一番おなじみのもの。
「サイン=性格」
ハウス
1から12まで数字がふられたスペースのこと。例えば6がふられているところは、6ハウスと呼ぶ。
「ハウス=家のルール」
天体
ハウスの中に入っている記号が天体。10種類(正確には13種類)ある。
「天体=毎日取っている行動」
アスペクト
天体と天体を繋いでいる線がアスペクト。
「アスペクト=行動に与える変化」

カスプサイン
ハウスとハウスの間にある黒い線をたどっていくと、突き当たるサインがあるよね。それがそのハウスのサインになる。これを、カスプサインっていいます。
つまり、ココさんの2ハウスのカスプサインは、ふたご座ってことですね
わたしの場合、2ハウスにふたご座もかに座もあるけどどうしたらいいの？
わたしのホロスコープは7ハウスのところに天体がごちゃごちゃとあるけれど、
これはどうしたらいいの？
フムフム
天体とセットになるサインは、天体を表している記号の横にある線と結びついているものになるよ。算出サイトによって、若干ずれることもある
あと、もう1つ方法があって
多い
ハウス内に占めるサインの割合で選ぶこともあるよ。この方法を使うと、2ハウスはかに座ということになる。さらに、2つのサインを組み合わせちゃうって方法もあるけれど、最初のうちは1つのサインでやったほうがいいですよ。ごちゃごちゃして、訳がわからなくなるから（笑）
んまぁ、あまり深く考えないで。とりあえず、算出サイトを使ってホロスコープを出して
この後にあるテンプレを埋めてみようか！
うん！
やってみよう!!

# 本書の使い方

## 初心者

**こんな人におすすめ**

- 初めて星よみをする人、
  過去に挑戦したけど、途中で挫折した人はここからスタート
- 使うページ：初心者向け簡易版　ホロスコープを書いてみよう！(P14)
  穴埋め式・鑑定テンプレ 初心者編(P16〜19)

1. 算出サイトを使ってホロスコープを出す（P15 参照）。超初心者の方など、算出サイトで出したホロスコープを読み取るのが大変な場合は、「初心者向け簡易版　ホロスコープを書いてみよう！」（P14）に書き写す（読み取れる場合は、書き写す必要はなし。算出サイトで出したホロスコープをそのまま使う）。

2. ホロスコープを見ながら、「穴埋め式・鑑定テンプレ初心者編」（P16 〜 18）に、本文（P31 〜 109）のマーカー部分のキーワードを穴埋めする。穴埋めしたキーワードを 1 つの文章に繋げる。文章として成立しないようなことがあれば、キーワードが持つ言葉の意味を残しながら、自分が読みやすい文章になるよう、自由に整える。

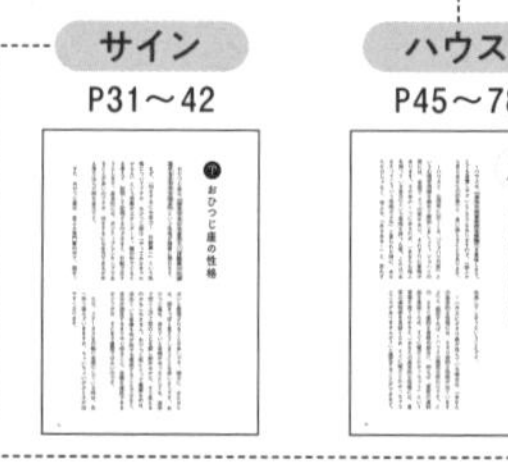


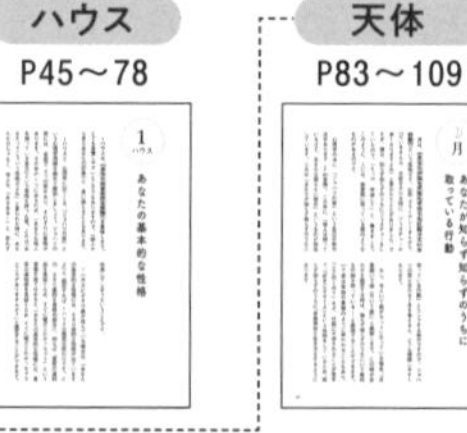


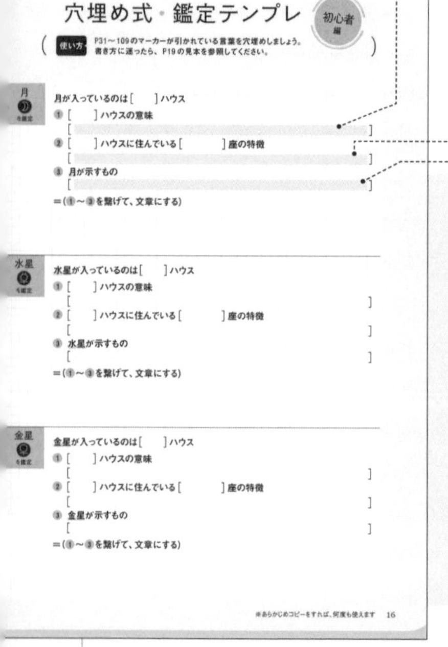

穴埋め式・鑑定テンプレ　初心者編

（使い方　P31〜109のマーカーが引かれている言葉を穴埋めしましょう。書き方に迷ったら、P19の見本を参照してください。）

月
月が入っているのは［　　］ハウス
① ［　　］ハウスの意味
［　　］
② ［　　］ハウスに住んでいる［　　］座の特徴
［　　］
③ 月が示すもの
［　　］
＝(①〜③を繋げて、文章にする)

水星
水星が入っているのは［　　］ハウス
① ［　　］ハウスの意味
［　　］
② ［　　］ハウスに住んでいる［　　］座の特徴
［　　］
③ 水星が示すもの
［　　］
＝(①〜③を繋げて、文章にする)

金星
金星が入っているのは［　　］ハウス
① ［　　］ハウスの意味
［　　］
② ［　　］ハウスに住んでいる［　　］座の特徴
［　　］
③ 金星が示すもの
［　　］
＝(①〜③を繋げて、文章にする)

※あらかじめコピーをすれば、何度も使えます　16

**理解を深めるためのページ**

各ハウス、各天体の後に、「理解を深めるためのページ」を用意しています。たとえば、P46 〜 47 は「1ハウス」に住むサインの補足説明をしています。テンプレには記入の必要はありません。

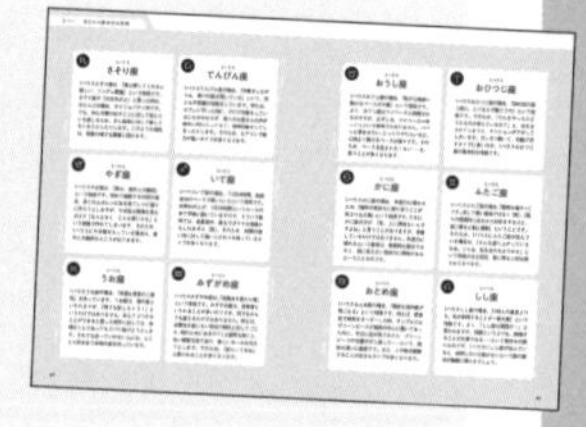

**使い方**

- 各ハウス、各天体とセットになったときに、「サインのどんな特徴が出るのか」理解を深めるために読む。深く理解できていると、2 で文章を繋げやすくなる
- 穴埋めに慣れてきた人は、「理解を深めるためのページ」から言葉を抜き出したり、抜き出した言葉を好きな表現に変えてもOK。表現の幅が広がる
- 自分のホロスコープと照らし合わせて、読み物として楽しむことも可能

# 上級者

**こんな人におすすめ**

- **「鑑定テンプレ初心者編」が埋められた人、星よみの基本的な知識がある人、アスペクトを使って占いたい人におすすめ**
- **使うページ: 穴埋め式・鑑定テンプレ上級者編（P20〜21）**

1. ホロスコープを用意する（すでに持っているものを使うか、「Astrodienst」など、アスペクトが読みやすい算出サイトでホロスコープを出す）。
2. 占いたいテーマを決めて、お悩みとマッチするハウスを選ぶ。「穴埋め式・鑑定テンプレ上級者編」（P20）に、P31 〜 109 のマーカー部分のキーワード、アスペクト（P115 〜 139）のマーカー部分のキーワードを穴埋めする。
3. 穴埋めしたキーワードを1つの文章に繋げる。文章として成立しないようなことがあれば、キーワードが持つ言葉の意味を残しながら、文章を整える。

**【悩みとマッチするハウス】**

| ハウス | |
|---|---|
| 1ハウス | 自他ともに認める、基本的な性格 |
| 2ハウス | 楽しくできちゃう、お金の稼ぎ方 |
| 3ハウス | 成績が伸びる学習スタイル、<br>心地良い人間関係の価値観 |
| 4ハウス | 「こういう家族だったらいいな」と思えるポイント |
| 5ハウス | あなたらしさを感じられる、理想の生き方 |
| 6ハウス | 「私の理想の働き方って、何?」 |
| 7ハウス | 結婚をする時に、絶対に譲れない価値観、<br>やりがちな話の聞き方 |
| 8ハウス | 新婚さん卒業後に出てくる、あなたの意外な性格 |
| 9ハウス | 「私の夢って、なんだろう?」 |
| 10ハウス | 天職と感じられる、理想の職業 |
| 11ハウス | 肩書きが関係ないコミュニティーにおける、<br>あなたの立ち回り方 |
| 12ハウス | あなたの隠された才能 、あなたがやっている愛し方<br>（どのように人を大切にするのか?という意味です） |

*複数の天体が入っている場合は、P83からの天体の特徴を見て、占いたい天体を選んでください。アスペクトも同様に、P115からの特徴を見て、自分で選びます。逆に、悩みとマッチするハウスに天体が入っていない場合は、 ハウスに住んでいるサインとの組み合わせで鑑定するなど、上級者は、自分なりの占いでアレンジしましょう。

# シーン別 太陽・月星座占い

**こんな人におすすめ**

- **太陽星座占い・月星座占いで自己分析したい人、 占いを楽しみたい人**
- **読むページ：第2部（P145〜189）**

1. 11シーンの中から、気になるシーンを選ぶ。
2. 鑑定テンプレに書き込む必要はなし。リラックスして、占いを楽しむ。

初心者向け簡易版 ホロスコープを書いてみよう！

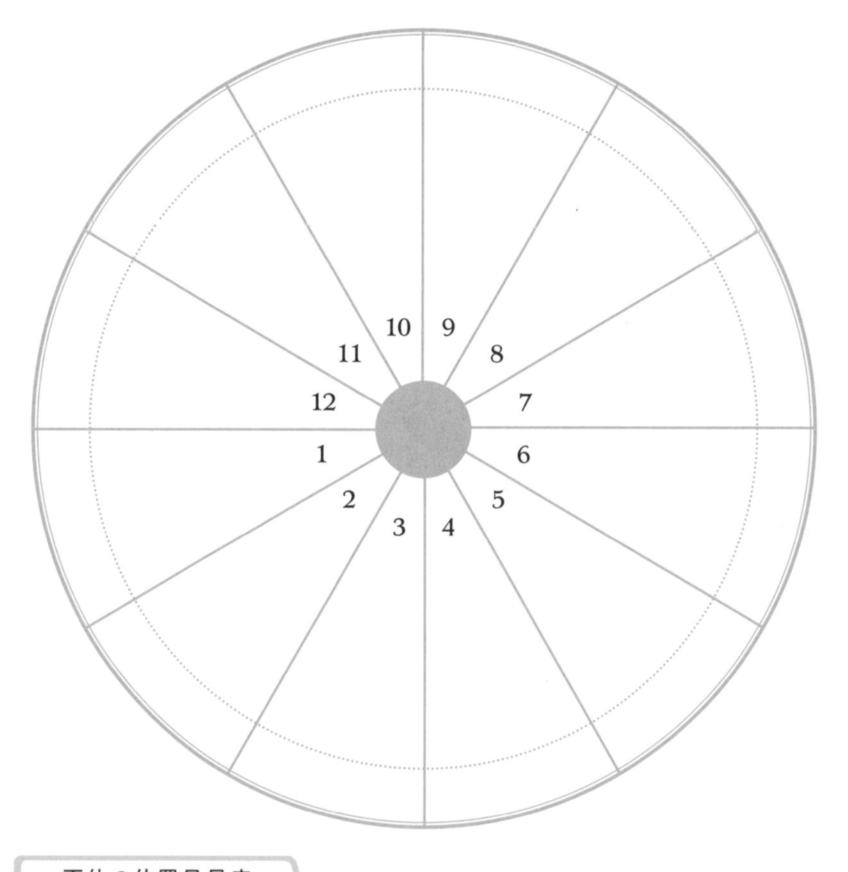


Horoscope

天体の位置早見表

| 天体 | 記号 | 座 / ハウス | 天体 | 記号 | 座 / ハウス |
|---|---|---|---|---|---|
| 月 | ☽ | 座<br>ハウス | 木星 | ♃ | 座<br>ハウス |
| 水星 | ☿ | 座<br>ハウス | 土星 | ♄ | 座<br>ハウス |
| 金星 | ♀ | 座<br>ハウス | 天王星 | ♅ | 座<br>ハウス |
| 太陽 | ☉ | 座<br>ハウス | 海王星 | ♆ | 座<br>ハウス |
| 火星 | ♂ | 座<br>ハウス | 冥王星 | ♇ | 座<br>ハウス |

# ホロスコープの書き方

**STEP 1**

ホロスコープ算出サイトを使い、占いたい人の生年月日、生まれた時間、生まれた場所を入力し、ホロスコープを出します。ネット検索をすれば数多くのサイトが見つかりますが、初心者には「GoisuNet」(「ゴイスネット ホロスコープチャート作成」などで検索)、上級者には「Astrodienst」(「アストロディーンスト 無料ホロスコープ」などで検索)がおすすめです。

**GoisuNet** https://goisu.net　**Astrodienst** https://www.astro.com/horoscopes/ja

**STEP 2**

ホロスコープ算出サイトで出た結果をもとに太陽と結びつくハウスをチェック。内枠に「太陽」と記入し、外枠にはサイン(星座)を入れます。

**STEP 3**

STEP2で記入した太陽と結びつくサインを起点に、反時計回りで外枠にサインを記入します。

**<サインの順番>**

おひつじ座 ▶ おうし座 ▶ ふたご座 ▶ かに座 ▶ しし座 ▶ おとめ座 ▶ てんびん座 ▶ さそり座 ▶ いて座 ▶ やぎ座 ▶ みずがめ座 ▶ うお座(おひつじ座に戻る)

**STEP 4**

STEP3で記入したサインと結びつく天体を内枠に記入します。サイン記号や天体記号に慣れない人は、ひらがなや漢字で書いてもOKです。ホロスコープの記入が終わったら、「天体の位置早見表」を書き写しておくと便利。

| サイン記号 | | | | | | |
|---|---|---|---|---|---|---|
| | おひつじ座 ♈ | おうし座 ♉ | ふたご座 ♊ | かに座 ♋ | しし座 ♌ | おとめ座 ♍ |
| | てんびん座 ♎ | さそり座 ♏ | いて座 ♐ | やぎ座 ♑ | みずがめ座 ♒ | うお座 ♓ |

| 天体記号 | | | | | |
|---|---|---|---|---|---|
| | 月 ☽ | 水星 ☿ | 金星 ♀ | 太陽 ☉ | 火星 ♂ |
| | 木星 ♃ | 土星 ♄ | 天王星 ♅ | 海王星 ♆ | 冥王星 ♇ |

【注意】
・ハウスとハウスを区切る線(カスプ)は、人によって異なります(実際には12等分にならない場合が多い)。
・算出するサイトによって、天体やサインの位置が若干ずれる可能性がありますが、鑑定結果が明らかに変わってしまうことはありませんので、ご安心ください。
・初心者の方は、あまり難しく考えずSTEP1〜4の手順で記入していけば大丈夫です。
・上級者の方や、算出サイト等で出したホロスコープで細部まで正確なものが読み取れる場合は、STEP1〜4の手順を踏む必要はありません。お手元のホロスコープをもとに、P16以降の鑑定テンプレの穴埋めを進めてください。

**書き方見本**　ココさんの場合
1980年12月15日
14:38 東京生まれ

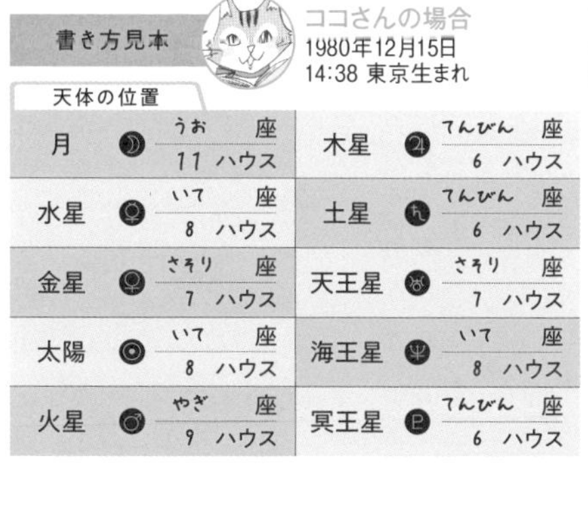

天体の位置

| 天体 | サイン / ハウス | 天体 | サイン / ハウス |
|---|---|---|---|
| 月 ☽ | うお 座 / 11 ハウス | 木星 ♃ | てんびん 座 / 6 ハウス |
| 水星 ☿ | いて 座 / 8 ハウス | 土星 ♄ | てんびん 座 / 6 ハウス |
| 金星 ♀ | さそり 座 / 7 ハウス | 天王星 ♅ | さそり 座 / 7 ハウス |
| 太陽 ☉ | いて 座 / 8 ハウス | 海王星 ♆ | いて 座 / 8 ハウス |
| 火星 ♂ | やぎ 座 / 9 ハウス | 冥王星 ♇ | てんびん 座 / 6 ハウス |

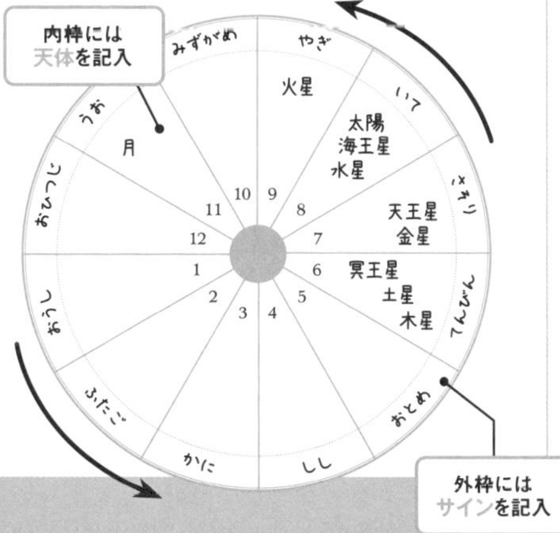


Horoscope

# 穴埋め式・鑑定テンプレ

使い方　P31〜109のマーカーが引かれている言葉を穴埋めしましょう。
書き方に迷ったら、P19の見本を参照してください。

月が入っているのは[　　]ハウス

① [　　]ハウスの意味
[　　　　　　　　　　　　　　　　　　　　]

② [　　]ハウスに住んでいる[　　　　]座の特徴
[　　　　　　　　　　　　　　　　　　　　]

③ 月が示すもの
[　　　　　　　　　　　　　　　　　　　　]

＝(①〜③を繋げて、文章にする)

---

水星
☿
を鑑定

水星が入っているのは[　　]ハウス

① [　　]ハウスの意味
[　　　　　　　　　　　　　　　　　　　　]

② [　　]ハウスに住んでいる[　　　　]座の特徴
[　　　　　　　　　　　　　　　　　　　　]

③ 水星が示すもの
[　　　　　　　　　　　　　　　　　　　　]

＝(①〜③を繋げて、文章にする)

---

金星
♀
を鑑定

金星が入っているのは[　　]ハウス

① [　　]ハウスの意味
[　　　　　　　　　　　　　　　　　　　　]

② [　　]ハウスに住んでいる[　　　　]座の特徴
[　　　　　　　　　　　　　　　　　　　　]

③ 金星が示すもの
[　　　　　　　　　　　　　　　　　　　　]

＝(①〜③を繋げて、文章にする)

※あらかじめコピーをすれば、何度も使えます

太陽
◎
を鑑定

太陽が入っているのは[ ]ハウス

1 [ ]ハウスの意味
[ ]

2 [ ]ハウスに住んでいる[ ]座の特徴
[ ]

3 太陽が示すもの
[ ]

＝(1～3を繋げて、文章にする)

火星
♂
を鑑定

火星が入っているのは[ ]ハウス

1 [ ]ハウスの意味
[ ]

2 [ ]ハウスに住んでいる[ ]座の特徴
[ ]

3 火星が示すもの
[ ]

＝(1～3を繋げて、文章にする)

木星
♃
を鑑定

木星が入っているのは[ ]ハウス

1 [ ]ハウスの意味
[ ]

2 [ ]ハウスに住んでいる[ ]座の特徴
[ ]

3 木星が示すもの
[ ]

＝(1～3を繋げて、文章にする)

土星
♄
を鑑定

土星が入っているのは[ ]ハウス

1 [ ]ハウスの意味
[ ]

2 [ ]ハウスに住んでいる[ ]座の特徴
[ ]

3 土星が示すもの
[ ]

＝(1～3を繋げて、文章にする)

天王星
♅
を鑑定

天王星が入っているのは[　　]ハウス

1 [　　]ハウスの意味
[　　]

2 [　　]ハウスに住んでいる[　　]座の特徴
[　　]

3 天王星が示すもの
[　　]

=(1~3を繋げて、文章にする)

---

海王星
♆
を鑑定

海王星が入っているのは[　　]ハウス

1 [　　]ハウスの意味
[　　]

2 [　　]ハウスに住んでいる[　　]座の特徴
[　　]

3 海王星が示すもの
[　　]

=(1~3を繋げて、文章にする)

---

冥王星
♇
を鑑定

冥王星が入っているのは[　　]ハウス

1 [　　]ハウスの意味
[　　]

2 [　　]ハウスに住んでいる[　　]座の特徴
[　　]

3 冥王星が示すもの
[　　]

=(1~3を繋げて、文章にする)

# 鑑定テンプレ記入見本

**Point** ココさんのホロスコープを使って鑑定をした一例です。
「月」で解説していますが、水星〜冥王星まで、穴埋めの方法は基本的に同じです。

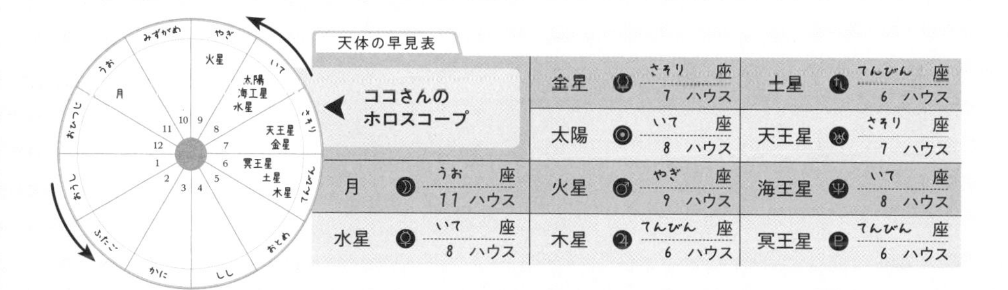


| 天体 | 座 | ハウス |
|---|---|---|
| 月 | うお 座 | 11 ハウス |
| 水星 | いて 座 | 8 ハウス |
| 金星 | さそり 座 | 7 ハウス |
| 太陽 | いて 座 | 8 ハウス |
| 火星 | やぎ 座 | 9 ハウス |
| 木星 | てんびん 座 | 6 ハウス |
| 土星 | てんびん 座 | 6 ハウス |
| 天王星 | さそり 座 | 7 ハウス |
| 海王星 | いて 座 | 8 ハウス |
| 冥王星 | てんびん 座 | 6 ハウス |

**月が入っているハウスを穴埋めする**

**① ハウスの意味を穴埋めする**
（ココさんの場合は、P75のマーカー部分）

月 を鑑定

月が入っているのは［ 11 ］ハウス

① ［ 11 ］ハウスの意味
［コミュニティーという場において、どのような立ち回りをするのか？ ］

② ［ 11 ］ハウスに住んでいる［ うお ］座の特徴
［直感と思考のハーフ&ハーフ ］

③ 月が示すもの
［あなたが知らず知らずのうちに取っている行動 ］

＝（①〜③を繋げて、文章にする）
コミュニティーの場において、知らず知らずのうちに、
直感と思考をハーフ&ハーフで使って人の気持ちを瞬間的に察するようです

**③ 月が示すキーワードを穴埋めする**
（P83のマーカー部分）

**② ハウスに住んでいるサインの特徴を穴埋めする**
（ココさんの場合は、P42のマーカー部分）

**文章を繋げる時は、いつも使っている表現でOK。鑑定者の個性を大いに出す。**

※P42のマーカーの一部分を穴埋めしています。
このように、ハウスの意味に合わせて、キーワードを短く抜き取っても構いません。文章が繋げやすくなります。

# 穴埋め式・鑑定テンプレ

P31～109のキーワードに加え、P115～139にあるアスペクトのマーカー部分を穴埋めします。
＝(イコール)で文章を繋げる時は、いつも使っている表現でOK。最初は文章を繋げる時に
不自然な文章になってしまうこともありますが、何度も鑑定していくうちに自然な文章になります。

※あらかじめコピーをすれば、何度も使えます

今、悩んでいること [ ]
お悩みとマッチするハウス:[ ]ハウス
[ ]ハウスに住んでいる
天体Ⓐ[ ] サインⒶ[ ]

1 ハウスの意味 P45～78のキーワードを穴埋めする
[ ]

2 天体Ⓐの特徴 P83～109のキーワードを穴埋めする
[ ]

3 サインⒶの特徴 [ ] P31～42のキーワードを穴埋めする

→ 1 ＋ 2 ＋ 3 ＝ 鑑定結果①

[ ]

4 天体Ⓐ座と結ばれているアスペクトを選ぶ [ ]
アスペクトの意味 P115～139のキーワードを穴埋めする
[ ]

5 天体Ⓐ[ ]座とアスペクト[ ]で結ばれている
天体Ⓑ[ ]サインⒷ[ ]

6 天体Ⓑの特徴 P83～109のキーワードを穴埋めする
[ ]

7 サインⒷの特徴 P31～42のキーワードを穴埋めする
[ ]

→ 6 ＋ 7 ＝ 鑑定結果②

[ ]

8 鑑定結果① ＋ 鑑定結果② ＋ 4 アスペクトの意味＝

[ ]

# 鑑定テンプレ記入見本

上級者編

**Point** ココさんのホロスコープを使って鑑定をした一例です。

【 悩みとマッチするハウス 】

|  |  |
|---|---|
| 1ハウス | 自他ともに認める、基本的な性格 |
| 2ハウス | 楽しくできちゃう、お金の稼ぎ方 |
| 3ハウス | 成績が伸びる学習スタイル、心地良い人間関係の価値観 |
| 4ハウス | 「こういう家族だったらいいな」と思えるポイント |
| 5ハウス | あなたらしさを感じられる、理想の生き方 |
| 6ハウス | 「私の理想の働き方って、何?」 |
| 7ハウス | 結婚をする時に、絶対に譲れない価値観、やりがちな話の聞き方 |
| 8ハウス | 新婚さん卒業後に出てくる、あなたの意外な性格 |
| 9ハウス | 「私の夢って、なんだろう?」 |
| 10ハウス | 天職と感じられる、理想の職業 |
| 11ハウス | 肩書きが関係ないコミュニティーにおける、あなたの立ち回り方 |
| 12ハウス | あなたの隠された才能、あなたがやっている愛し方(どのように人を大切にするのか?という意味です) |

＊複数の天体が入っている場合は、P83からの天体の特徴を見て、占いたい天体を選んでください。アスペクトも同様に、P115からの特徴を見て、自分で選びます。逆に、悩みとマッチするハウスに天体が入っていない場合は、 ハウスに住んでいるサインとの組み合わせで鑑定するなど、上級者は、自分なりの占いでアレンジしましょう。

今、悩んでいること［ 私の夢について ］

お悩みとマッチするハウス:［ 9 ］ハウス

［ 9 ］ハウスに住んでいる

天体Ⓐ［ 火星 ］ サインⓐ［ やぎ座 ］

**1 ハウスの意味** P45～78のキーワードを穴埋めする

［ なかなか答えが出ない難しい考えごとをしている時の、解決に至る考え方 ］

**2 天体Ⓐの特徴** P83～109のキーワードを穴埋めする

［ あなたがめちゃめちゃアクティブになる時 ］

**3 サインⓐの特徴** ［ 努力しているのに結果が出ていない人には、徹底してサポート ］ P31～42のキーワードを穴埋めする

→ 1 ＋ 2 ＋ 3 ＝ **鑑定結果①** ［「努力しているのに結果が出ない人」をめちゃめちゃアクティブにサポートしていると、自分の難しい考えごとも解決している ］

**4 天体Ⓐ座と結ばれているアスペクトを選ぶ**［ スクエア ］

**アスペクトの意味** P115～139のキーワードを穴埋めする

［ 悩みが多くなるものの、ハウスの意味に生じた問題を解決していく ］

**5 天体Ⓐ**［ やぎ ］**座とアスペクト**［ スクエア ］**で結ばれている**

**天体Ⓑ**［ 土星 ］**サインⓑ**［ てんびん座 ］

**6 天体Ⓑの特徴** P83～109のキーワードを穴埋めする

［ 苦手意識は感じるかもしれないけど、コツコツ頑張って成長していく ］

**7 サインⓑの特徴** P31～42のキーワードを穴埋めする

［ 相談する時は、親密性よりも専門性を重視 ］

→ 6 ＋ 7 ＝ **鑑定結果②** ［ 苦手意識は感じるかもしれないけど、その道の専門家にアドバイスを求めて、コツコツ頑張って解決していく ］

**8 鑑定結果① ＋ 鑑定結果② ＋ 4 アスペクトの意味＝**

［「努力しているのに結果が出ない人」をサポートすることで、自分の難しい考えごとも解決していきます。ただ、アクティブにサポートできない時は、苦手意識を感じるかもしれないけれど、その道の専門家にアドバイスを仰ぐこと。そうすることで、自分の夢に向かって、成長していけるでしょう。］

*Contents*

# 第2部 シーン別に太陽星座と月星座で鑑定する

Staff

装丁　小口翔平＋嵩あかり（tobufune）
装画・漫画　佳矢乃（sugar）
本文デザイン＋DTP　スタイルグラフィックス
校正　玄冬書林

# 第1部

# ホロスコープを読む

50の専門用語
ホロスコープを鑑定するためには難しい専門用語を覚えなければダメだって思っている人が多いけれど、
実は
そうじゃないんだ
え!? そうなの!?
こっそり
もちろん、専門用語は覚える必要はあるよ。でも、50だけ覚えればいいんだよ
アスペクト
・トライン
・セクスタイル
・セミ・セクスタイル
・スクエア
・セミ・スクエア
・コンジャンクション
・オポジション
・インコンジャンクト
・セスキコードレート
・クインタイル
・バイ・クインタイル
・クインデチレ
・ノーアスペクト
合計13個
ハウス
・1ハウス
・2ハウス
・3ハウス
・4ハウス
・5ハウス
・6ハウス
・7ハウス
・8ハウス
・9ハウス
・10ハウス
・11ハウス
・12ハウス
合計12個
天体
・月
・水星
・金星
・太陽
・火星
・木星
・土星
・天王星
・海王星
・冥王星
・ドラゴンヘッド
・ドラゴンテイル
・カイロン
合計13個
サイン
・おひつじ座
・おうし座
・ふたご座
・かに座
・しし座
・おとめ座
・てんびん座
・さそり座
・いて座
・やぎ座
・みずがめ座
・うお座
合計12個
メモメモ…
50といっても、サインとかは馴染みがある言葉だから理解しやすいかも
そうなんだよ。「あるある！」と言ってもらえそうな、情景が思い浮かびやすい、かんたんな表現で覚えればいいんだ
例えば、やぎ座の特徴を説明すると
どうもヤギです
難しい
やぎ座は自分が所属している社会や業界へ、きわめて高い貢献欲を持ち、絶え間なく動き続けて新たな実績を作る
かんたん
・能書きを語るよりも、結果で示すデキる人
・泳ぎ続けるマグロのように、仕事が終わるまで働き続ける
どう？
すーっと頭に入ってくる
でしょ。かんたんが一番！

50 words

# 50の専門用語

ホロスコープを鑑定するには、サイン、天体、ハウス、アスペクトを理解する必要があります。これが「星よみ挫折者続出」の大きな原因。よくある専門書は、50個もある用語を、それぞれ数千文字もの難解な文章で説明しているものがほとんどです。なんとか理解して、ホロスコープを読んだとしても、鑑定文を作る時にまたハードルが……。難しい表現の羅列となってしまい、よくわからない鑑定文の完成です。

本書では、1つの専門用語を「30～40文字程度」で理解することをおすすめしています。

例えば、サイン・おひつじ座を理解したい時。P31を開いてみてください。全体をさくっと読んだら、マーカー部分『何をするにも全力！ 行動第一』『満足するまでやり切る』、これだけ頭に入れておきます。おひつじ座の性格です。友だちのおひつじ座に「占って」と言われたら、マーカー部分のキーワードを伝えればOK。短い言葉で、シンプルに言われたほうが、友だちも「当たっている」と思うはずです。

これは自分を占う上でも同じ。これからあなたは、「天体・月の特徴は○○」「1ハウスは○○を意味している」など、50の専門用語を使って鑑定していくわけです。それぞれ、数千文字で鑑定したら、5～10万文字。本1冊の文字量です。一般的な専門書の通りにやるということは、本1冊分もの文字量の鑑定文を作るということ。だから、僕も、あなたも多くの人が挫折していたのです。

繰り返し鑑定すれば、30～40文字のマーカー部分は自然と暗記してしまうかもしれません（全部覚えても、日本人歌手の曲、3～4曲分くらいの文字量です）。最初はもちろん本書を読みながら。慣れて、軽く覚えた頃には、さらに鑑定時間が短くなりますし、1つのキーワードでもいろいろな解釈を加えることで、鑑定のレパートリーが広がるはずです。

サインとは？
おひつじ座からうお座までの12種類だよね
そうだよ
ホロスコープではここを見ます
要は星座のこと。太陽と結びついていたら太陽星座。
月だったら、月星座だね
おひつじ座
おうし座
ふたご座
かに座
しし座
おとめ座
てんびん座
さそり座
いて座
やぎ座
みずがめ座
うお座
でも、サインってどういう意味があるの？
サイン＝性格と理解してもらえれば大丈夫
ほお
仕事仲間と食事に行ったとして、「部長って、一言多いし、イラっとするよね～」と愚痴った時に、「あるある～」と、盛り上がったことない？
こんなやりとりをしている時、占星術師は「もしかしたら、その部長さんは○○座なのかな……？」って見立てているわけ
じゃあ早速、P31～109のマーカー部分を初心者テンプレに穴埋めしてみて！
あるある(笑)
わかりました!!
メモメモ

# おひつじ座の性格

おひつじ座は、**『何をするにも全力！ 行動第一』『満足するまでやり切る』**という性格が顕著に現れます。

まず、『何をするにも全力！ 行動第一』という性格についてですが、おひつじ座は「やってみなきゃわからん」という状態がスタンダード。頭の中でぐるぐる考えて、説明して証明するのではなく、行動で示そうとします。基本的には、ポジティブシンキングであることが多いのですが、何をするにも全力であるがゆえ落ち込んだ時も全力です。

また、おひつじ座は、星よみ専門書の中で、飽きっぽいと表現されることが多いです。確かに、はたからは、飽きっぽく見えてしまうことも多いようです。おひつじ座は、決めていた目標があったとしても、途中で切り上げて別のことを探し始めるから、そう見えるのかもしれません。おひつじ座にとって重要なのは、決めていた目標を何が何でも達成することではなく、自分が満足するまでやり切ること。目標を達成できるかどうかは、そこまで重要ではないのです。

ただ、ステータスを行動に全振りしている時は、先へ先へ進んでいきますが、ちょいちょいポカミスが出やすくなります。

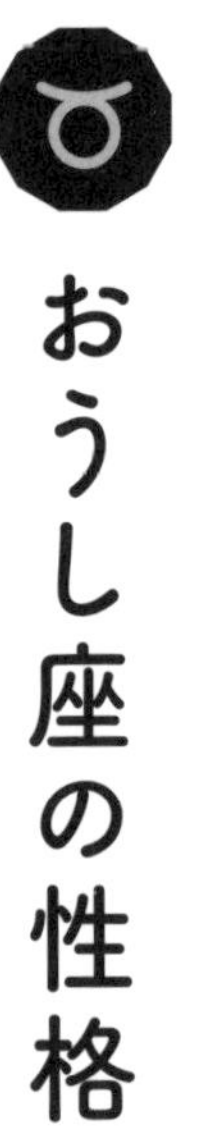

# おうし座の性格

おうし座は、『嗅ぎたい、触れたい、確かめたい』『会話の賞味期限がとても短い』という性格です。

まず、おうし座は、五感が優れているといわれることが多いのですが、いきなり「五感が優れていませんか?」と言われても、いまいちピンとこないですよね。五感というのは、味覚、嗅覚、触覚、視覚、聴覚を意味します。例えば、もふもふのコットンタオルを目にした時に、実際に手に取って感触を確かめたり、顔にくっつけて匂いを嗅ぐことで、五感を満足させるようになります。

次の、『会話の賞味期限がとても短い』という性格ですが、おうし座の方と関わっていく上で、ここは非常に重要なポイントです。僕は以前、星よみにハマったおうし座の友人と食事に出掛けた際、「聞きたいことがあって!」と、話を振られました。「ん〜。どうしよっかな〜」と、少しだけ焦らしてみたところ、「もういい」と、誰が見てもわかるレベルで不機嫌になってしまいました。その時間、わずか数秒でしたが、おうし座の会話の賞味期限は、これくらい短いのです。「会話の賞味期限は、今!」ということを、肝に銘じておきましょう。

# ♊ ふたご座の性格

ふたご座は、『普段は、つかず離れず。興味が湧いた人には、距離感がバグって接する』『人疲れを起こしやすく、沈黙の共有をしたい』という性格です。

ふたご座は、一般的には、話し上手で司会者が向いている……と、表現されることが多いのですが、それは、その場や人に合わせているだけ。「話すのが楽しくて楽しくて仕方ない！」というわけではありません。むしろ、つかず離れずの距離を保とうとしますし、呼吸をするように、場や人に合わせてしまうため、人疲れを起こしやすいところがあります。

しかし、つかず離れずの距離を保とうとするふたご座も、「何だこの人！　面白い！」と思った途端、一気に相手の懐に入ってしまうという極端な一面もあります。なぜ、このような極端さを持っているのかというと、〝ふたご〟という名の通り、ふたご座には、ツインになる存在が必要だからです。ツインになる存在は、自分と瓜二つの考えを持っている人かもしれないし、自分とは全く異なる考えを持っている人かもしれません。ツインを発見した瞬間のふたご座は、とてもお喋りになりますし、熱く語り合ったり、一緒にい続けたいなと考えるようになります。

# かに座の性格

かに座は、**『どうしても、人の気持ちが気になってしまう』『私の気持ちがYESと言えば、ガンガンいっちゃう』**という性格です。

かに座のために存在すると言っても過言ではない『共感』という言葉ですが、とにかくかに座は、人の気持ちに敏感です。会話をしていて、相手の表情が少しでも曇ってしまうと、「嫌な気分にさせてないかな……？　嫌われていないかな……？」と、どうしても人の気持ちが気になってしまうのです。しかし、捉え方を変えれば、それだけ気持ちを大事にしているということでもありますから、かに座が共感力に優れているのも納得です。

また、「かに座って、不安になりやすいよね」という表現をよく目にします。確かに、見通しが立たない時、危険予測ができない時は、尻込みしやすくなります。しかし、「私の気持ちがYESと言っている！」と感じた途端、アクセル全開でガンガン進んでいきます。以前、かに座のクライアントが、「起業したいけど、失敗するかもしれないから不安で……」と、悩んでいたのですが、翌日には勤め先に退職届を出したということがありました。後日、話を聞いてみたところ、「できる気がしたから！」とのことでした。

# ♌ しし座の性格

しし座は、**『わたあめメンタルにつき、取扱注意』『目立ちたくはないけど、大切な人にはちゃんと見ていて欲しい』**という性格です。

しし座は、信じられないくらい繊細です。しし座の繊細さを、水を掛けただけで溶けてしまう、わたあめメンタルと表現しています。どれくらい繊細かというと、「ダメ」は禁句ですし、元気づけようと思って、「そんなことで凹むあなたじゃないでしょ」と伝えると、「そんなことって何？」と返ってきたり。「〜じゃない」という言葉尻を取って「何か否定された気がする」と思われることもありますので、取扱注意です。逆に、しし座の取説通りに扱われると、とても喜びます。

また、しし座は「目立ちたくないのに、なんか目立っちゃう……」という、悩みを抱えています。これは、否定されることへの恐れのあらわれです。でも本来は、100人の意見よりも自分の納得感を軸にして生きる強さを持っています。

このような時に、大切な人がそばで見ていてくれると、それだけで頑張ることができます。

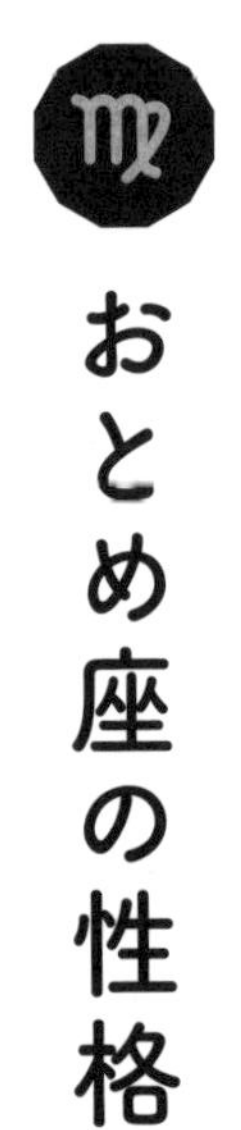

# おとめ座の性格

おとめ座は、**『仕事中は、自分も他人もミスがないように、サポートをする』『プライベートでは、かなり抜けている』**と、オンとオフの差が激しい性格です。

おとめ座は、自分が主役になって表舞台で演じるのではなく、役者をサポートする黒子役を任されると、「おとめ座なくして、チームは成り立たない」といっても過言ではないくらい、サポート力が高い星座です。おとめ座がいるだけで、チーム全員が働きやすくなります。しかし、実務力の高さから頼られ過ぎてしまい、一杯一杯になることがありますので、周りがおとめ座を察してあげることが大切です。

このように、オンモードでは常に気を配っているため、オフになると信じられないくらい抜けています(笑)。例えば、自室でくつろいでいる時に、「あっ、冷蔵庫にプリンがあったから取りに行こう」と思って冷蔵庫に向かったものの、冷蔵庫の前に立った途端、「あれっ？　何を取りに来たんだっけ？」というふうに、記憶がなくなってしまうことがあります。こんなオフモードを過ごすおとめ座が好きになるタイプは、オンモードの時に気持ちを察してくれる女性的な感覚を持ち合わせる中性的な人が多いことでしょう。

# てんびん座の性格

てんびん座は、**『塩対応と神対応の使い分けが上手い』『相談をする時は、親密性よりも専門性を重視』**という性格です。

てんびんには２つの受け皿があるように、常に周りのムードのバランスを考えて行動します。そのため、気の利いた一言をサラッと伝えて場を和ませる対応力に優れる反面、礼儀がなっていない人、空気を読まない人には、必要最低限の会話のみでスルーする塩対応力にも優れています。しかし、塩対応をするにしても、ムードのバランスが壊れない絶妙な匙加減で対応するため、バレないことが大半です。

また、悩んでいる時は、恋人や夫婦という親密な関係を築いている相手ではなく、自分の悩みに適した専門性を持つ人に相談します。この行動は、「近しい人に悩みを相談して、心配を掛けたくないし、場の雰囲気を壊したくない」という配慮から生まれるもの。ただ、本当に何も言わずに相談するため、「一言欲しかった……」とパートナーから言われ、裏目に出ることもあります。てんびん座の課題は、何に悩んでいて、誰に相談しようと思っているのか、そして、その理由はどうしてなのか？　という部分を、親しい人にこそ、あらかじめ伝えることです。

# ♏ さそり座の性格

さそり座は、**『悩んだ時は、精神と時の部屋に入って心に眠る真実を見つける』『誘い文句は、一緒よりも2人が最高』**という性格です。

まず、さそり座は、とても極端です。なぜなら、さそりの尻尾が繰り出す一撃は、人間を死に至らしめる猛毒を持ち、生きるか、死ぬかという極端な性質を持っているからです。そのため、一度悩むと、精神と時の部屋へ避難して「私の心は何と言っているのか?」と、心に眠る真実を掘り下げ、答えが見つかるまで、絶対に出てくることはありません。こんな時には、周りの人はさそり座が、精神と時の部屋から出てくるまで待っていてあげてください。

また、さそりは、堂々とその辺を闊歩する生き物ではなく、湿地や物陰に隠れています。ですので、大勢が苦手な傾向があり、4人以上集まるような場に行くと、急に喋らなくなることがあります。デートに誘われた時も「一緒に行こう?」と言われると、「他にも人がいるんだな」と思い込むことさえあります。「2人で行かない?」と言われると、グッと心に響いて「YES」と答えるようになります。ここを押さえておけば、さそり座マスターになることができます。

# いて座の性格

いて座は、**『喜ばせ好きの、陽気な引きこもり』『目的があれば、起床1時間後でも無計画に旅へ出る』**という性格です。

まず、いて座は、とてもサービス精神旺盛で、寄せられた期待に全力で応えようとします。例えば、飲み会の幹事を引き受けた時は、駅近、内装、サービスの質等、全てに満足行くような場所を選ぼうとしますし、予算をオーバーしても素知らぬ顔で「予算内だったから大丈夫」と、返事をします。しかし、全身全霊で応えようとするため、自宅に戻ると一言も喋らずに自室に引きこもるような極端さも持っています。

また、旅好きでも有名ないて座ですが、あくまでも、会いたい人や受けたい講座等、目的がある時だけです。目的がなければ、普段の陽気なキャラで消耗したエネルギーを回復させるかのように、自室にこもるか、人気（ひとけ）のない所でのんびりするようになります。ですが、そうと決まれば、起床1時間後でも、往路と復路だけを検索してパパッと外出してしまうのが、いて座的なフットワークの軽さです。初めて行く旅先でトラブルが起こっても、臨機応変に対応する柔軟さを持っています。最終的に、ちゃんと帰ってきますのでご安心ください。

# やぎ座の性格

やぎ座は、**『努力しているのに結果が出ていない人には、徹底してサポート』『堪忍袋の緒が切れるまで時間が掛かる分、怒ると徹底的に詰める』**という性格です。

まず、やぎ座自身が「決められたこと、決めたことをやるのは当たり前」と、何事もコツコツと努力を続けることができます。そのため、同じように取り組む人や、目に見える努力家に気づくと、ご飯をご馳走したり、差し入れをしたりと、物質的なサポートをして応援します。知り合いのやぎ座の中には、「中古の家なら一括で買えるよね?」という、目玉が飛び出そうな金額をバックアップしたというケースもあります。

また、基本的に、すっっっごく気が長いので、滅多に怒りません。怒るまでのプロセスに、八方手を尽くして相手を諭します。しかし、いつまで経っても改善の兆しが見えない状態が続くと、一切のサポートを打ち切って、グゥの音も出ないくらい追い込む怖さも持っています。知り合いのやぎ座の中には、見切りをつけた旦那さんと、2年近く別居をしていたケースもあります。やぎ座は、見守りと見切りのギャップがとても激しいので、やぎ座が怒ると、周りの人は度肝を抜かれます。

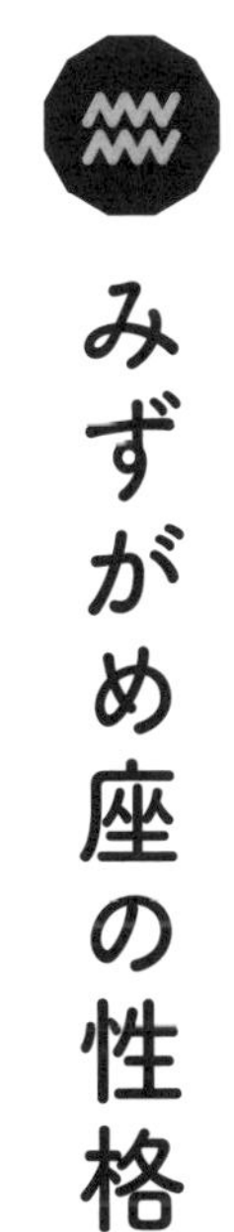

# みずがめ座の性格

みずがめ座は、**『スロースターター。でも、点と点が繋がれば、成長青天井』『理解への孤独を抱えている』**という性格です。

例えば、みずがめ座が何かの講座を受けると、基礎をじっくり学んで、講師が何を意図して説明しているのかを汲み取ろうとするため、周りと比べた時に周回遅れになることがあります。ですが、点と点が繋がる感覚を感じると、周りの受講生をゴボウ抜きにし、学んだことを一気にモノにして、どこまでも成長を遂げていきます。一度でもモノにすると、「こういうやり方もあるよな」「ここは、無駄な部分だな」と、試行錯誤を繰り返しながらオリジナルのやり方を生み出していきます。

次に、みずがめ座を表す特徴として『尊重』という言葉がよく出てきますが、基本的には、どんな人の考えも「そういう考えもあるよね」と、理解する姿勢を見せます。ですが、頭のどこかに、「人と人はわかり合えないから、尊重するしかないんだ」と、理解に対する孤独を抱えています。いつも颯爽とした雰囲気のみずがめ座も、この時ばかりは、とても寂しそうな目になるのが特徴的です。この孤独を理解し、無言で寄り添ってくれる人と、みずがめ座は末永く関係を築くことができるようになります。

# うお座の性格

うお座は、**『直感と思考のハーフ＆ハーフ』『実は、かなり怖い！　うお座の裏側、許すは保留』**という性格です。

まず、うお座は、ユニコーンのような、異世界から来た存在のように思われがちです。確かに、直感に優れていて不思議な言動が多くなりますが、物事を考える視座が非常に高いだけ。周囲が理解できないので、不思議に思われてしまうのです。そして、直感と思考の両方に長けているため、本気を出せば何でもできてしまう万能さを持っています。個人的には、全星座の中でも最も伸び代がある星座だと感じています。

次に、うお座は「何でも許してくれる愛の人」と思われることが多いのですが、実際のところ、そうではありません。その場の雰囲気に合わせて保留にしているだけで、後日、「あの時は許すと言ったけど、やっぱり許してない」という状態になるのです。一般的なうお座のイメージを持ったままうお座と関わると、手痛いしっぺ返しを食らうことがありますので、注意が必要です。しかし、本当に許せないと感じた時は、何も言わずに目の前から姿を消すことも。周りの人は、「言われるうちが花」と考えて、うお座と関わっていきましょう。

ハウスとは？
「50の専門用語」に出てくるハウスって何？
ハウス
・1ハウス
・2ハウス
・3ハウス
と、いいますと??
ハウスをかんたんに説明すると、
それぞれの家にある家族のルールみたいなもの
すてきなおうち
11
10
9
8
12
おうし
7
1
6
2
3
4
5
ホロスコープでいうと、ハウスはこの1から12までの数字がふられたスペースのことなんだ。1が書かれているスペースは1ハウス、2のところは2ハウスってことだよ
全部で12ハウスあるってことね
そう。ココさんの場合は1ハウスの始まりの線がおうし座をさしているから、1ハウスおうし座っていうことになるよ
この12のハウスは、それぞれにルールがあるんだ。例えば、2ハウスだったらお金を稼ぐ時の状況という感じでね。だから、お金のことを鑑定したかったら2ハウスを見るってことになるんだ
2
1
そうなんだ
お金ほしい……
じゃあ、次のページからは各ハウスのルールについて見てくね
やったー!!

# ハウスとは

House

ハウスは、それぞれの家に存在している『家族のルール』と考えると、わかりやすくなります。僕の実家では、「ポテチを食べた後は、牛乳を飲む」という謎のルールがあります。実家に帰省すると、普段は牛乳を飲まない僕も、ポテチを食べた後に牛乳を飲みます。

ですが、「ポテチを食べた後に牛乳を飲む必要はなくない？」というルールがある家では、ポテチを食べた後に牛乳を飲むことはありません。このお話を星よみに置き換えると、1～12ハウスに住んでいる星座は、それぞれ「家」にあるマイルールに沿う生き方をするようになる……ということです。

例えば、『お金の稼ぎ方』を意味する2ハウスに、かに座が住んでいる場合は、共感力を活かして、お金を稼ぐようになります。『どんな能力を活かすと、仕事を楽しいと感じるのか？』を意味する10ハウスに、かに座が住んでいる場合は、人の気持ちに寄り添えていると、「この仕事をしていて良かったな」と、感じるようになるのです。

# 1ハウス あなたの基本的な性格

1ハウスは、『あなたの基本的な性格』を意味します。とても自覚しやすいところでもありますので、『他人から見たあなたの印象』と、言い換えることもあります。

1ハウスと、心理学に出てくる、「ジョハリの窓」という心理学用語を絡めて解説しましょう。ジョハリの窓には、全部で4つの窓があり、それぞれに意味があります。その中の1つにあるのが、「あなたも他人も知っている自分」という意味を持った窓。これは「あなたってこういう性格だよね」と言われた時に、あなただけじゃなく、他人も、「あるある！」と、思わず共感してしまうということです。

1ハウスにさそり座が住んでいる場合は、「あなたの基本的な性格には、さそり座的な性格が出ていますよ」と、鑑定すれば、1ハウスの鑑定は終わりです。この、さそり座的な性格の部分に、例えば『言葉の違和感を見抜くため、すぐに嘘だとわかっちゃう』という言葉を当てはめると、「あなたの基本的な性格には、言葉の違和感を見抜くため、すぐに嘘だとわかっちゃうところがありませんか？」と鑑定することができます。

1ハウス
## おうし座

1ハウスおうし座の場合、『私が心地良く動けるペースが大事』という性格です。よく、おうし座はマイペースと表現されるのですが、必ずしも、マイペース＝ゆっくりという意味ではありません。パパッと済ませたい、じっくりやりたいなど、心地よく動けるペースは様々です。そのため、ペースを乱されたくない……と、思うことが多くなります。

1ハウス
## おひつじ座

1ハウスおひつじ座の場合、『四の五の言う前に、とりあえず動こうや』という性格です。そのため、「それをやったらどうなるのか考えているの？」と、水をさされてしまうと、テンションが下がってしまいます。ガンガン動いて、行動で示すタイプに多いのが、1ハウスおひつじ座の基本的な性格です。

1ハウス
## かに座

1ハウスかに座の場合、共感力に優れるため、『相手の気持ちに寄り添うことが、何よりも大事』という性格です。たまに、かに座の方が、「私、人に興味ないんですよね」と言うことがありますが、矛盾しているわけではありません。共感力に優れるという意味は、表面的な部分ではなく、目に見えない気持ちに興味があるということなのです。

1ハウス
## ふたご座

1ハウスふたご座の場合、『陽気な陰キャ』です。決して悪い意味ではなく（笑）、『周りの雰囲気に合わせた対応をするけど、家に帰ると割と寡黙』ということです。そのため、1ハウスにふたご座が住んでいる場合は、「みんな盛り上がっているなあ。じゃあ、私も合わせようかな」という性格が出る反面、家に帰ると何も喋らなくなります。

1ハウス
## おとめ座

1ハウスおとめ座の場合、『微妙な違和感が気になる』という性格です。例えば、飲食店で焼売をオーダーした時、サンプルではグリーンピースが焼売の中心に置いてあったのに、手元に品が来てみたら、グリーンピースの位置が少し違った……という、微妙な違いに敏感です。また、人や物を観察することが好きなタイプが多くなります。

1ハウス
## しし座

1ハウスしし座の場合、『100人の意見よりも、私が納得することが一番大事』という性格です。よく、「しし座は頑固だ！」と言われますが、頑固というよりも、納得することが大事である……という気持ちの表れなのです。1ハウスにしし座が住んでいると、納得しないと動かないという鉄の意志が顕著に現れるでしょう。

1ハウス
## てんびん座

1ハウスてんびん座の場合、『作業をしながらも、周りの話を聞いている』という、何とも不思議な性格をしています。例えば、カフェに行った時に、PCで作業をしているにもかかわらず、周りのお客さんの声が勝手に耳に入ってきて、情報収集をしてしまったりします。そのため、ヒアリング能力が高いタイプが多くなります。

1ハウス
## さそり座

1ハウスさそり座は、『実は察してくれると嬉しい、ツンデレ要塞』という性格です。さそり座が「大丈夫だよ」と言った時は、ほとんどの場合、ダイジョバナイ時です。でも、本心を曝け出すことに対して恥じらいを感じるため、少し態度に出して察してもらおうとしたりします。このような傾向は、恋愛の場でも顕著に現れます。

1ハウス
## いて座

1ハウスいて座の場合、『1日24時間、全部自分のペースで使いたい』という性格です。世界中の人が、1日24時間というルールの中で平等に動いていますので、そういう意味では、全星座中、最もワガママな性格かもしれません（笑）。そのため、時間の使い方に対して強いこだわりを持っているタイプが多くなります。

1ハウス
## やぎ座

1ハウスやぎ座は、『実は、意外と大雑把』という性格です。初めて挑戦する料理の場合、多くの人はレシピ本を見てレシピ通りに作ろうとしますが、やぎ座は画像を見ただけで「なんとなく、こんな感じかな」という感覚で作れてしまいます。そのため、1ハウスにやぎ座が入っている場合は、意外と大雑把なところが出てきます。

1ハウス
## みずがめ座

1ハウスみずがめ座は、『良識ある変わり者』という性格です。みずがめ座は、改革者といわれることが多いのですが、何でもかんでも変えるわけではありません。例えば、必要性を感じない会社の朝礼に対して、「これ、何のためにあるの？」と疑問を抱くと、古い慣習を捨て去り、新しいルールを作ろうとします。そのため、「変わってるね」と言われることが多くなります。

1ハウス
## うお座

1ハウスうお座の場合、『辛愛&真愛の二面性』を持っています。うお座は、愛の星といわれますが、「何でも許しちゃう！」というわけではありません。本心でぶつかることができると思った相手に対しては、辛辣なことであってもズバリ告げようとします。それでも去っていかない人には、とことん向き合う本物の愛を持っています。

# お金の稼ぎ方

2ハウスは、**『お金の稼ぎ方』**を意味します。経験上、ほとんどの方がもれなく興味津々になる部分です。『お金の稼ぎ方』と聞くと、「ネットビジネスで稼ぐのかな？」とか「営業をして稼ぐのかな？」と、方法を考えてしまいがちですが、そういうことではありません。

もし、2ハウスに共感を得意とするかに座が住んでいた場合、共感力を活かすことで、収入に繋がりやすくなります。例えば、誰かが悲しんでいる時に、「この人は、悲しんでいるんだろうな……」と、気持ちを察して共感することで、相手は安心してくれますし、かに座としても嬉しいですよね。

すると、かに座にお世話になった人は、「この人に助けてもらったから、きちんと対価を支払いたいな」と思ってくれるようになり、結果的に収入に繋がる……ということなのです。つまり、2ハウスに住んでいるサインの性格を活かすこと＝あなたのお金の稼ぎ方と、鑑定することができるのです。

逆の見方をすると、コンピューターやロボットのように、人の気持ちが存在しないものを相手にすると、かに座の共感力を活かせないため、本来持っているお金の稼ぎ方を活かすことができず、収入に繋がりにくくなってしまうといえます。

2ハウス
## おひつじ座

2ハウスおひつじ座は、『とにかく勘が鋭い』という性格です。「何かよくわからないけど、危ない気がする」という勘が働くと、本当にその通りだったりします。そのため、おひつじ座的な勘を信じて突き進むだけで、結果的に収入を得ることがあります。持ち前の行動力を活かし、勘の鋭さに素直になることが、収入アップの鍵です。

2ハウス
## おうし座

2ハウスおうし座は、『物を通じて自己表現する』という性格です。「説明して」と言われると、言語化スローのおうし座は困り果ててしまいますが、物作りの場合は話が別です。なぜなら、物作りに説明は不要だからです。じっくりと時間を費やして物作りに取り組むことで、自然とお金を稼げるようになります。

2ハウス
## ふたご座

2ハウスふたご座は、『相手が喜ぶ言葉のツボを察する』という性格です。サクサクと話しているように見えるふたご座ですが、実際のところは、相手や、その場の雰囲気に合う言葉を選んで話しています。相手が喜ぶ言葉のツボを察することが上手いので、ワードチョイス力を活かすことで収入に繋がります。

2ハウス
## かに座

2ハウスかに座は、『他人の痛みを自分のことのように感じられる』という性格です。抜群の共感力を持っているため、星よみの世界では「カウンセラー向き」といわれますが、共感が必要な職業は、カウンセラーだけではありません。そのため、気持ちの交流ができれば、無理なく自然と稼げるようになります。

2ハウス
## しし座

2ハウスしし座は、『自分の信じる世界観に共感した人が不思議と集う』という特徴があります。非常に強い個性を持っているため、周りが勝手に触発され、しし座の発する言葉や生き方に魅了された人が集まります。恐れずに自分の世界観を打ち出すことが、そのまま収入に繋がるため、いかに力強く自分の世界観を発信するかが鍵になります。

2ハウス
## おとめ座

2ハウスおとめ座は、『短所はサポート&長所は伸ばす』という性格です。誰もが理想とする上司の究極形のような性格ですが、優れた人間観察力を持つおとめ座にとっては朝飯前です。そのため、「人を育てるのなら、おとめ座」と太鼓判をもらえるようになり、自然と収入に繋がっていきます。

2ハウス
## てんびん座

Libra

2ハウスてんびん座は、『気持ちを大事にしつつ、問題解決のアドバイスをする』という性格をしています。相談をされた時に、熱く語るようなことはありませんが、どこに問題があるのかを冷静に分析してアドバイスをしながらも、人の気持ちも大事にするため、抜群の問題解決力を発揮しながら相手に安心感を与えます。聞き役に回ることで収入に繋がりやすくなります。

2ハウス
## さそり座

Scorpio

2ハウスさそり座は、『1対1こそ、私の独壇場』という性格をしています。さそり座は、4人以上いる場では口数が少なくなります。広大な砂漠で独り生きるさそりに象徴されるように、少人数の関わりを望み、中でも特に1対1を好みます。この『1対1こそ、私の独壇場』という性格を活かすと、お金を稼げるようになれます。

2ハウス
## いて座

Sagittarius

2ハウスいて座は、『利益度外視で、知識の出し惜しみゼロ』という性格をしています。例えば、100万円のセミナーを受けたとします。普通の人であれば、元を取ろうとするものですが、いて座は「そもそも、知識は誰かの所有物じゃないでしょ」というスタンスで、利益度外視で得た知識をシェアします。その姿に人がついてくるようになり、収入に繋がる傾向があります。

2ハウス
## やぎ座

Capricorn

2ハウスやぎ座は『礼節と実力を育む』という性格です。どれだけ実力があっても、礼節が伴わない人は認めません。そのため、内面から滲み出る礼節を育んで、プロとして通用するように、本人が諦めても、2ハウスやぎ座は諦めない根気強さを発揮。礼節も実力も育て上げていきます。ですので、人を育てることに注力すると、自然と収入に繋がっていくでしょう。

2ハウス
## みずがめ座

Aquarius

2ハウスみずがめ座は、『尻上がりに調子が上がる、スロースターター』です。みずがめ座は、基礎が超重要で、何事に関しても「どういうことなのかな？」と、細かく分析します。ですが、3ヶ月もあれば、点と点が繋がり「わかった！」と、ものにしてしまいます。稼げるようになるまで時間や根気はいりますが、ものにするとプロ級の能力を発揮していきます。

2ハウス
## うお座

Pisces

2ハウスうお座は、『やるとなったら1ミリも妥協を許さない、プロも仰天する真のプロフェッショナル』という性格です。普段は宇宙人のように不思議な生き物に見えますが、スイッチが入った途端、1ミリの妥協も許さないプロ意識が芽生えます。そのため、稼ごうと思えばいくらでも稼げるようになります。

# 3 ハウス

# やり慣れた勉強の仕方、人に物を伝える時の話し方

3ハウスは、『知性』と表現されるのが一般的ですが、知性といわれても、どういうふうに鑑定したら良いのか、わからないですよね。そもそも、知性というのは、物事を知って勉強したり、考えたり、判断したりする能力のことです。また、話す時にどのような言葉を使うのかも、知性によります。

もし、3ハウスにやぎ座が住んでいる場合は、やぎ座の性格を活かして勉強をしたり、判断をしていきます。例えば、勉強の仕方では、夏休みが終わる2日前に一気に宿題を仕上げるようなことはせず、きちんと計画を立てて取り組みます。話し方に関しては、机上の空論で話すことはしません。特に、人を説得する場面においては、誰が聞いても納得できる根拠を示すように話します。

このように、3ハウスを鑑定する時は、**『やり慣れた勉強の仕方』『人に物を伝える時の話し方』**という言葉と、サインの性格をセットにすることで、あなたがどのようなやり方で勉強をして成績を上げるのか？どのような話し方で、人に物を伝えていくのか？という点を鑑定することができます。特に自称口下手さんの方には、3ハウスの鑑定は効果てきめんです。なぜなら、自称口下手さんの多くは、自分にとって最もフィットする話し方を知らないだけであることが多いからです。

3ハウス

## おひつじ座

3ハウスおひつじ座は、『言葉の駆け引きをせず、ストレートに伝える』という性格をしています。そのため、「言葉の意味？額面通りだけど（笑）」と、サッパリしているのが特徴です。ですが、あまりにもストレート過ぎてしまい、相手の触れられたくない心の地雷を見事に踏み抜くこともありますので注意しましょう。

3ハウス

## おうし座

3ハウスおうし座は、『即レス厳禁！　私のペースで返事をさせて欲しい』という性格です。自動改札機にICカードをタッチすると、その瞬間にゲートが開きますよね？ですが、おうし座は、タッチしてから5秒経って開く改札口のような感覚で、言語化するまでに時間が掛かります。その分、熟成された表現になるため、言葉に重みと説得力が出てくるのも特徴です。

3ハウス

## ふたご座

3ハウスふたご座は、『相手のテリトリーに入り過ぎないように話す』という性格です。ふたご座が、相手のテリトリーに入り過ぎないように話すのは、ふたご座自身がテリトリーに入られることが苦手だからです。自分がされて嫌なことはしないのと同じように、常に言葉を選んで距離感を取りながら人と関わるようになります。

3ハウス

## かに座

3ハウスかに座は、『気持ちの交流が大切』という性格です。そのため、「わかるー（棒）」というふうに、棒読み共感をすることはなく、言葉に気持ちを乗せるように話して、お互いの気持ちが感じられるような関わり方を好みます。裏を返せば、気持ちが感じられない人との会話は、少し苦手だったりします。

3ハウス

## しし座

3ハウスしし座は、『否定や批判をせず、味方であろうとする関わり方』をします。特に、自分を慕ってくれている人に対しては、絶対的な味方であろうとするため、親分肌&姉御肌の気質が強くなります。ですので、肯定的に汲み取ってあげられるような言葉掛けをする傾向が強くなります。

3ハウス

## おとめ座

3ハウスおとめ座は、『言葉の見直しをして、伝わりやすくする』という性格です。タイムリーに話している時は、アバウトな話し方になるのですが、長文のメールを送る時は、何度も読み返しておかしな部分を修正する傾向が強いです。ですが、あちこち手直しをし過ぎて、反対に誤字をしてしまうこともよくあります。

3ハウス

## てんびん座

3ハウスてんびん座は、『自分で考えて解決&事後報告』という性格です。システマティックに考える傾向があり、頭の回転が速く、分析力も非常に高いため、「別に相談しなくてもいいかな。自分で考えられるし」という傾向が目立ちます。悩みを抱えていても、ある日突然、「あの件だけど、無事片づいたわ」と、事後報告が多くなります。

3ハウス

## さそり座

3ハウスさそり座は、『懐に入れた人にだけ、秘密全出しで話す』という性格です。滅多に本心を明かさないことで有名なさそり座ですが、「この人は、安心して話せる」と一度でも感じれば、これまでの黒歴史を全部話しますし、相手にも隠しごとのない関わり方を望みます。ですので、信頼している人と信頼していない人とでは、接し方が180度違うことが多くなります。

3ハウス

## いて座

3ハウスいて座は、『未来に対して深く語り合い、深掘りする会話を好む』という性格です。サービス精神が旺盛ですので、談笑をするだけの会話を求められれば、その場に合わせて応えます。しかし、基本的には、いて座の大好物である未来の話や、深く語り合うことを好むため、聞いた人が考えさせられるような発言をすることが多くなります。

3ハウス

## やぎ座

3ハウスやぎ座は、『曖昧な話はせず、根拠を示して物事を伝える』という性格です。そのため、「何となく、こういう感じかな」と言われると、「何となくって、具体的にどういうこと？」と、中身のある発言を求めるので、しっかり者の印象を与えることが多くなります。ただ、ある程度中身が決まると、急に大雑把になるという不思議な一面もあります。

3ハウス

## みずがめ座

3ハウスみずがめ座は、『常に客観的な視点で、会話をすることを好む』という性格です。みずがめ座は、「私は、私を客観的に見て、〇〇のように考えていると思う」という話し方をします。感情を入れた話し方ではないため、淡白な印象を与えますが、客観性に優れている分、問題解決を目的とした対話が得意です。

3ハウス

## うお座

3ハウスうお座は、『相手の雰囲気から、一瞬で気持ちを察して合わせて話す』という性格です。虫の知らせが当たるレベルの直感力を持っているうお座は、言葉を聞かなくても、雰囲気から相手の気持ちを直感的に汲み取り、相手の心の状態に合わせた話し方をします。ただ、気持ちに敏感過ぎるため、他人との会話に気疲れを起こしやすいのも特徴です。

# 家族と一緒にいる時に出る あなたの性格

4ハウスは、**『家族と一緒にいる時に出るあなたの性格』**を意味します。恋人の前、家族の前、会社で同僚や上司の前にいる時とで、表情や話し方は変わりますよね。僕は、TwitterのSpaces(一応、仕事モードです)で話している時は、きちんと言葉を選んで話しますが、実家に帰って家族と一緒にいる時は、全くと言っていいほど言葉を選びません。

このような違いが生まれる原因は、4ハウスに住んでいるサインによるものです。もし、4ハウスにみずがめ座が入っている場合は、独立心が強く他人と尊重ベースで関わるため、「家族でもそれぞれの個性を尊重して、一人の人間として生きられるように、自立した関係を築いていきましょう」という関わり方になります。

「家族なんだから、何でも話しなさい!」ということはなく、「話したくないなら、今は話さなくていいよ」と、相手のタイミングを尊重するようになります。周りからは、かなりサバサバした印象を持たれることが多くなるでしょう。また、みずがめ座は、一人の時間を大切にするので、つかず離れず一定の距離を保つように関われると、「理想の家族だなー」と、感じることができます。

4ハウス
## おうし座

4ハウスおうし座は、『日常生活の些細な幸せの共有を望む』という性格です。世界の5つ星ホテルのような場所でなくとも、一緒に畑いじりをしたり、一緒に食卓を囲んで「いただきます」と言って、ご飯の美味しさを伝え合うような、ささやかな幸せの共有を望みます。ですので、家族がそれぞれ独立して動くような状態だと、寂しさを感じたりします。

4ハウス
## おひつじ座

4ハウスおひつじ座は、『フェアな関わりを好む』という性格です。スポーツで例えると、「あっ、彼には確実に勝てるな」というような試合は好みません。それよりも、対等に戦えるような相手とフェアに、正々堂々と戦うことを好むので、家族との間でも、年齢差に関わらずフェアな関わりを望みます。

4ハウス
## かに座

4ハウスかに座は、『"ありがとう"という言葉に強い喜びを感じる』という性格です。かに座にとって感情の交流は、人間が酸素がないと生きていけないのと同じくらい大切なことです。その中でも、感謝の気持ちを伝え合う「ありがとう」という言葉は特に大切で、家族の間でも「ありがとう」をきちんと伝え合えると、喜びを感じます。

4ハウス
## ふたご座

4ハウスふたご座は、『知性的な雰囲気の家族を好む』という性格です。知性的と書くと、眉間に皺が寄るような印象を受けますが、数学で習ったサイン、コサイン、タンジェントといった勉強ができる知性ではありません。ふたご座にとって知性とは、「また変なこと言ってんな（笑）」という、ユーモアのことです。そのため、気兼ねなく冗談を言い合えるような関係を好みます。

4ハウス
## おとめ座

4ハウスおとめ座は、『自然と気を遣い合える関係を好む』という性格です。高いところにある物が取れない時、背の高い人が、「俺が取るよ」と、気軽に取ってくれることがありますよね？　こういうふうに、サラッと気を遣ってくれると、基本的に遠慮がちなおとめ座は受け取りやすくなります。そのため、自然と気を遣い合える家族関係を好みます。

4ハウス
## しし座

4ハウスしし座は、『横から口を出されたり、干渉されることを好まない』という性格です。お母さんが子どもに向かって、「宿題やったの！？」という言葉を掛けると、子どもが「今やろうと思ったのに、やる気がなくなった」と、機嫌を損ねたりします。しし座は、この子どもと似た気質がありますので、見守ってもらえれば、それだけでOKなのです。

Scorpio

4ハウス
## さそり座

4ハウスさそり座は、『“何でもない”は“何でもなくない”』という傾向が強い性格です。別の言葉に置き換えると、「本心を察してくれると嬉しい」ということです。特に、さそり座は心を許した相手に対しては、察して欲しいという気持ちが強くなるため、察してくれると嬉しいし、家族の気持ちも察してあげようとします。

Libra

4ハウス
## てんびん座

4ハウスてんびん座は、『オンとオフのバランスを取りたがる』という性格です。そのため、家族の時間も大事にしますが、自分だけの時間も大事にします。また、てんびん座は、放し飼いをされることを好むため、相手が家族であっても過度に干渉されたり、家の中で自分の部屋がないという状態になると、テンションがだだ下がりになります。

Capricorn

4ハウス
## やぎ座

4ハウスやぎ座は、『迷惑を掛けることを好まない』という性格です。そのため、どんなに些細なことでも「HELP」が言えないことが多く、溜め込みがちになります。家族に対しても「HELP」を言えなくなるのですが、一方で困っている人を放っておけないお人好しさんなので、家族が気に掛けてあげる必要があります。

Sagittarius

4ハウス
## いて座

4ハウスいて座は、『束縛NG。でも、見ていて欲しい』という、何ともワガママな性格です（笑）。これは、猫を飼うとよーくわかります。猫は甘えたい時は擦り寄ってきて、満足したらどこかへ消えてしまいます。ですので、基本的に束縛はNG。でも、甘えたい時は甘えさせて欲しいし、ちゃんと見ていてくれる家族関係を好みます。

Pisces

4ハウス
## うお座

4ハウスうお座は、『テレパシーで通じ合う』という、不思議な性格です。例えば、家族と一緒にいる時に、「ねぇ、お母さん。今日、こんなことあったでしょ？」と、知るはずのないことを察知したりします。家族全員の顔色を無意識にうかがったり、気持ちを汲み取ろうとする傾向が強く、うお座と同じくらいうお座のことをケアしてくれる家族がいると喜びます。

Aquarius

4ハウス
## みずがめ座

4ハウスみずがめ座は、『独りの時間が、この世で一番好きな時間』という性格です。みずがめ座は、常に平等を意識して人と関わるため、意外と毎日気疲れをしていることが多いのです。そのため、一人の時間を過ごさないと頭がパンクしてしまい、突然全てが嫌になってしまうことがあるので、家族と一緒にいても、一人になれる時間が絶対に必要になります。

# 生きていて楽しいなと感じる、理想の生き方

5ハウスは、**『生きていて楽しいなと感じる、理想の生き方』**を意味します。10年ほど前に、「ありのままの」という言葉が流行りましたよね。「ありのまま生きましょう！」と言われても、どうすればいいのかサッパリわからないですよね。僕も、サッパリわからなかったです（笑）。

「ありのまま生きる」というのは、何となく楽しそうな状態であっても、そもそも、どういう状態が「私にとってのありのままなの？」という疑問が出ると思います。この疑問を解決してくれるのが、5ハウス。あなたが生きていて楽しいと感じる、ありのままの生き方、理想の生き方が明らかになります。

もし、5ハウスにおひつじ座が住んでいる場合は、『小難しいことは後回しにして、ちゃっちゃと動くこと』が、ありのまま生きられているということ。理想の生き方ができているな……と、実感できるでしょう。

また、おひつじ座とは真逆の、じっくりコトコト煮込む系のおうし座が5ハウスに住んでいる場合は、スピード感はありませんが、美味しいご飯をじっくり味わうように、1つ1つの体験を噛み締めながら生きるようになります。

5ハウス
## おひつじ座

5ハウスおひつじ座は、『自分の気持ちに正直に生きる』という性格です。おひつじ座は、本当に正直な生き物です。コンビニへ行って、先輩から「肉まんと揚げ物、どっちか買ってやるわ。どっちがいい？」と言われた時に、「んー。どっちも食べたい！」と、正直に答えます。そのため、決断する速度がとても速いのが特徴的です。

5ハウス
## おうし座

5ハウスおうし座は、『楽しいことだけやっていればOK！』という性格です。おうし座は、物事を楽しいか楽しくないかで判断するとてもシンプルな生き物です。そのため、「生きることは楽しむこと！」というスタンスで生きるようになります。逆を言えば、楽しくないことはやらないと決めてしまえば、楽しいことだけが入ってくる生き方ができるようになるのです。

5ハウス
## ふたご座

5ハウスふたご座は、『興味のあることを1つに絞らず、マルチにこなす』という性格です。ふたご座は、「おっ。コレ、面白そう」と思ったものは、とりあえず手に取って吟味します。そして、気に入ったものに対しては、細く長く取り組み続けることができるため、結果的にマルチプレイヤーになり、常に好奇心が満たされた、理想的な生き方をすることができるのです。

5ハウス
## かに座

5ハウスかに座は、『「イケる！」と感じたら、さっさと動く！』という性格です。一般的には、臆病といわれるかに座ですが、直感的に「イケる！」と感じた途端、それまで悩んでいたことが全部吹っ飛んで、一気に行動に転じるアクティブな一面があります。このような生き方を実感できている時は、毎日がキラキラと輝いているように見えるでしょう。

5ハウス
## しし座

5ハウスしし座は、『あまのじゃくれない性格につき、自分に正直に生きる』という性格です。『あまのじゃくれない』という言葉は、天邪鬼のような生き方はできないという意味の造語です。そのため、自分に嘘をついた生き方ができません。自分ができるかできないか判断するのではなく、自分の気持ちに正直に生きることが大切です。

5ハウス
## おとめ座

5ハウスおとめ座は、『主役になるよりも、脇役で主役をサポートする』という性格です。舞台を観に行くと、主役がスポットライトを浴びて華々しい演技をしていますが、おとめ座は、このような主役やその他の人が快適に演じられるようにサポートをすることを好みます。そのため、裏方に回り縁の下の力持ちとして生きると、自分らしさを感じられます。

5ハウス
## さそり座

5ハウスさそり座は、『人の気持ちを徹底的に大事にする』という性格です。相手が心を痛めている時は、ピッタリくっついてガードします。そのため、人から深い悩みを相談されて「ありがとう。あなたのおかげで助かったよ」と言われると、「元気になって良かった」と感じるようになり、自分らしさを感じます。

5ハウス
## てんびん座

5ハウスてんびん座は、『“大体”で生きることを好む』という性格です。てんびん座にとって“大体”という言葉は、適当でも何でもなく“良い湯加減”“良い塩梅”という意味です。そのため、公私のバランスが崩れることはありませんし、無茶をして手痛い失敗をすることもありません。適度な締め感とユル感を実感できると、自分らしさを感じます。

5ハウス
## やぎ座

5ハウスやぎ座は、『スキルアップして稼ぎ、稼いだ物を人に分け与える』という性格です。やぎ座にとって稼ぐことの目的は、自分だけが儲かってウハウハするためではありません。「私が稼げるようになったら、困っている人に分け与える」と、社会貢献をすることが目的です。そのため、自分のためだけじゃなく、人のために力を注げていると、自分らしさを感じます。

5ハウス
## いて座

5ハウスいて座は、『未来のために、今を生きる』という性格です。時間には、過去、現在、未来という3つがありますが、その中でも、いて座が大切にしているのは、未来です。いて座が放つ矢は前にしか進まないため、過去には興味がないのです。ですので、「将来のために、今、何ができるか？」と、今できることに集中していると、自分らしさを感じます。

5ハウス
## うお座

5ハウスうお座は、『1ミリでもこだわりがあれば、超完璧主義&1ミリでも興味がなければ、超適当』という性格です。そのため、ピシッとしている時は一切手抜きをしませんが、そうでない時は、だるんだるんな状態になります。ですが、このような生き方をしている時が一番自然体で自分らしさを感じられるため、変わった生き方をするようになるでしょう。

5ハウス
## みずがめ座

5ハウスみずがめ座は、『徹底して無駄を省き、オリジナルに仕上げる』という性格です。基本的に、みずがめ座は勉強が好きな人が多く、幅広い知識を学びます。そして、学んだものをブレンドして「これは必要。これはいらない」と分別し、オリジナルへと仕上げていく癖があります。そのため、周りとは明らかに違う独特な生き方をしていると、自分らしさを感じやすくなります。

# あなたの理想の働き方

6ハウスは、**『あなたの理想の働き方』**を意味します。少し前に、お金の稼ぎ方を意味する2ハウスがありましたが、2ハウスと6ハウスは、密接な関係があります。例えば、「年収1千万円だけど、週休1日！」という状態は嫌ですよね（このような働き方を好きな人もいますが）？「稼げるのは嬉しいけど、休みがないのはつらい……。働き方、変えたいな」と、悩んでしまうわけです。こんなふうに悩んだ時に、「理想の働き方をしましょう！」と言われたところで、「それがわかれば苦労しない」というのが、本音だと思います。

ここで出てくるのが、6ハウスに住んでいるサインの性格です。もし、6ハウスにてんびん座が住んでいる場合は、てんびん座特有のバランス感覚を大事にして働くようになります。てんびん座特有のバランス感覚とは、体育の授業でやった平均台の上を歩くというような、物理的なバランス感覚のことではありません。ずばり、「仕事とプライベートのバランス」のこと。つまり、「年収1千万円を稼げるようになっても、働くことによってプライベートが失われるのは嫌」という状態を意味します。理想の働き方は、仕事とプライベートのバランスが取れている状態であるということなのです。

6ハウス

## おひつじ座

6ハウスおひつじ座は、『行動に水をさされるのを嫌う、即断即決即行動』という性格です。そのため、理想の働き方は、いかにスムーズに行動できるか、決めたことをすぐアクションに移せるかどうかが重要になります。ですので、会社勤めの場合は、どんどん行動を起こすことを推奨してくれるような社風や上司に恵まれることが大事になるでしょう。

6ハウス

## おうし座

6ハウスおうし座は、『自分のペース通りに動くことを好む』という性格です。そのため、自分のペースを乱されるような環境は、少し苦手です。ですが、繁忙期などでペースが乱されることがあったとしても、「毎年、この時期は忙しい」ということがわかっている場合は、心の準備ができますので、割と平気だったりします。

6ハウス

## ふたご座

『人とつかず離れずの距離感を好む』6ハウスふたご座ですので、理想の働き方というよりも、人間関係が妙に近い環境は、少し息苦しく感じるようになります。会社の飲み会や親睦会を嫌っているわけではありませんが、「仕事が終わった後くらい、つき合う人は選ばせて欲しい」と思うようになりますので、人との距離感が保たれている環境が理想的でしょう。

6ハウス

## かに座

6ハウスかに座は、『気持ちのケアをしたいし、気持ちのケアをされたい』という性格です。そのため、気持ちが存在しないコンピューター相手の労働環境で働くと、すぐに嫌になってしまいます。ですので、かに座が持っている、気持ちのケア力を活かせるような環境で働けると、「理想の働き方だなー」と感じることができます。

6ハウス

## しし座

6ハウスしし座は、『違うものは違う。納得したことなら、やります』という性格です。そのため、間違ったことを上司から指示された時に、「世の中、そういうものだから……」と言われても、「納得できなければやりたくない」となってしまうため、自分がトップとなって働く方が性に合っているでしょう。

6ハウス

## おとめ座

6ハウスおとめ座は、『縁の下の力持ち』という性格です。そのため、自分が主役になって、先頭を切って開拓していくよりも、どんどん開拓している人を支援するような働き方を好みます。ですが、「あの人のサポート力はヤバい」という流れになり、名コーチ的な立場として、結果的に表舞台に躍り出る可能性もあります。

6ハウス
## さそり座

6ハウスさそり座は、『1つの物事に没頭し続けることを好む』という性格です。子どもが遊びに集中しまくるのと似ていて、マルチに仕事をこなすよりも、1つの業務に没頭できるような環境で仕事をすることを好みます。ですので、「あなたは、今月コレだけをやっていればいいよ」という環境で働けると、持ち前の力を発揮できるようになります。

Scorpio

6ハウス
## てんびん座

6ハウスてんびん座は、『公私のバランスを、一番大切にする』という性格です。そのため、仕事一徹という状態になることはありませんし、反対に、プライベートを優先し過ぎて仕事がダメになるということもありません。ですが、どちらかというとプライベートに重きを置くことがあるため、ほどほどに働ける環境がベストといえるでしょう。

Libra

6ハウス
## やぎ座

6ハウスやぎ座は、『決められたこと、自分で決めたことを淡々とこなす』という性格です。そのため、安定感はありますが、「新しい仕事を自分で考えて、仕事を自分で作る」ということは、少し苦手です。ですので、「今月は、コレと、アレと、ソレをやって」と、きちんと仕事のプロセスを示してくれると、働きやすくなる傾向にあります。

Capricorn

6ハウス
## いて座

6ハウスいて座は、『1箇所に縛られることなく、旅をするように生きることを好む』という性格です。そのため、毎日同じ時間に出勤して、毎日同じ人と会って、決められたことだけをこなす働き方は、すぐに退屈になってしまうのです。いかに、新鮮な出会いがあるか、1箇所に縛られない働き方ができるのかが、重要になってきます。

Sagittarius

6ハウス
## うお座

6ハウスうお座は、『「ピンときた！」と、バンバン直感を使ってOKな働き方』が、重要になります。元々、物事の深い部分まで考えることもできますが、何をするにしても、最初は直感ありきです。そのため、「根拠もない状態で仕事を進めるのは危なくない？」と言われると、気分が萎えてしまうので、いかに直感を活かせるかが大切です。

Pisces

6ハウス
## みずがめ座

無駄を徹底的に省き、半端なく強い独立心を持っている6ハウスみずがめ座は、『無駄は即省き、自分のやりたいようにやれる』という環境に身を置くと、理想の働き方の発見に繋がりやすくなります。そのため、会社員の場合は、それなりの裁量権が与えられていることが重要です。それを望めない場合は、個人で仕事をする道を選ぶほうが賢明でしょう。

Aquarius

# 7ハウス

# 他人から信頼されるための話の聞き方

7ハウスは、一般的に『社交性』と表現されます。しかし、「7ハウスは社交性」と言われたところで、どう鑑定すれば良いのかが全くわかりませんよね。まず、社交性というのは、社会と交わる能力のこと。では、社会と交わる能力とは何か？　ということですが、社会に出ると、自分の話だけをバンバンする機会はそんなにないと思います。

なぜなら、社会に出ると、人によっては毎日のように「はじめまして」の人に出会うからです。気心知れた間柄であれば、友だちと話すような感覚で、自分の話を優先してもOKですが、オフィシャルな場ではNGです。「はじめまして」の人と会った時は、自分の話よりも、相手が何を求めているのかを理解するために話を聞き、少しずつ信用され、仕事をスムーズに進めていくための人間関係を築く必要があるのです。

7ハウスの社交性とは、社会の場において、『他人から信頼されるための話の聞き方』を意味していて、7ハウスに住んでいるサインの性格を活かして、社会と関わっていくことになるわけです。もし、7ハウスにおとめ座が住んでいた場合は、おとめ座が得意とする人間観察力を活かして、「この人は、何を求めているのかな？」と、細かく把握していくようになります。

7ハウス
## おひつじ座

7ハウスおひつじ座は、『裏の意図なく、額面通りに表現する』という性格です。そのため、7ハウスおひつじ座の人と関わる人は、「素直過ぎるでしょう」と、ピュアな子どもと接しているような感覚に陥ります。むしろ、ストレートに言ってもらったほうが助かるというスタンスですので、細かく言葉を選ばなくてもOKなことが多くなります。

7ハウス
## おうし座

7ハウスおうし座は、『相手の考えをきちんと理解することに努める』という性格です。おうし座は、言語化がスローという特徴を持っていますが、これは、自分のことをきちんと伝えようとする気持ちの表れなのです。そのため、相手の考えていることも同じようにきちんと理解しようとするので、安定感のある聞き方に定評があります。

7ハウス
## ふたご座

7ハウスふたご座は、『1〜5の説明を受ければ、結論がわかる』という、極めて高い理解力を持っています。ですので、相手の話を最後まで聞かなくても、「それってつまり、こういうことですよね？」と、結論がわかってしまうのです。そのため、理解の早い要領の良い人という印象を抱かれるようになります。

7ハウス
## かに座

7ハウスかに座は、『相手の気持ちを蔑ろにしないよう、話の内容と気持ちを丁寧に扱う』という性格です。相手が理路整然と話していても、「無理していないかな？」と、言葉の裏側に隠された気持ちもきちんと汲み取るため、話している人が安心感を抱くことがあります。また、目をしっかり見て、しっかり相槌を打つのも特徴的です。

7ハウス
## しし座

7ハウスしし座は、『律儀で、頼まれると断れない』という性格です。そのため、取引先で無理難題を言われても、頼んできた人とつき合いが長かったりすると、「これまで、お世話になったからな……」と、断れずに、引き受けたりします。ただ、引き受けたことは絶対に成し遂げる性格ですので、結果で示して信用を勝ち得るタイプです。

7ハウス
## おとめ座

7ハウスおとめ座は、『人間観察が得意で、細やかな気遣いができる』という性格です。電車に乗っていても、知らず知らずのうちに人間観察をして、行動を予測したりします。そのため、話を聞く場においても、言葉の微妙なニュアンスから、「この人は何を欲しているのかな？」と把握し、相手が望む物を望んでいる通りに出すことができます。

7ハウス
## さそり座

Scorpio

7ハウスさそり座は、『親しくなるまで時間は掛かるけれど、親しくなるとオープンハート』という性格です。そのため、初対面の時は、「おぉ……。ちょっととっつき難い人かな？」と、思われることが多いのですが、さそり座が一度でも親しみを感じると、「何でも話して！」と、何でも話を聞くようになります。

7ハウス
## てんびん座

Libra

7ハウスてんびん座は、『地獄耳！　どこにいても、自動的に情報を収集する』という、驚きの傾聴力を持っています。職場で遠くの人が自分の悪口を言っていても、しれっとした顔で聞いていたりすることも。そのため、人の話を聞くことは朝飯前というレベルなので、どんな人から相談を持ち掛けられても対応できます。

7ハウス
## やぎ座

Capricorn

7ハウスやぎ座は、『結論よりも、土台の部分やプロセスをきちんと知りたい』という性格です。「今月は、先月の倍の契約を取ってください」と言われた時、「どうして、倍も契約を取る必要があるのか？」「目標達成のための、アテはあるのか？」と、プロセスや土台をきちんと知ろうとするため、非常に安定感のある話の聞き方をします。

7ハウス
## いて座

Sagittarius

7ハウスいて座は、『早く結論を聞いて、パパッと動きたい』という性格をしています。ですので、回りくどくダラダラ話されると、「すみません。早く結論を言ってほしいです（笑）」と、つい口から出てしまうのです。ですが、結論や大枠のことを伝えてもらえれば、リクエストを形にできるように、すぐに動き出すため、迅速な対応を評価されます。

7ハウス
## うお座

Pisces

7ハウスうお座は、『しっかり理解したいと思えば、完璧に理解しようとする』という性格です。普段は感覚的に理解しますが、一切妥協せず完璧に理解しようとする一面もあります。この時は、みずがめ座以上に細かくなり、「誰にでもわかるよう、具体的に説明してください」と、こと細かに質問して把握しようとすることがあります。

7ハウス
## みずがめ座

Aquarius

7ハウスみずがめ座は、『結論。いつ、どこで、誰が、何を、どうした』という、報連相のド定番を重視します。ですので、非常に細かくヒアリングをして、不明な点は、その都度質問して明確にしてから、相手のリクエストに応えるようになります。説明不足の場合は、理解するまで質問をするため、大雑把な説明をする人は、少し大変になります。

# 8 ハウス

## 特別に親しみを感じている人の前で出る性格

8ハウスは、『特定の誰かや出来事と深く関わること……』と、表現されます。でも、このままでは、どう鑑定したら良いのかわからないですよね。少し噛み砕くと、**『特別に親しみを感じている人の前で出る性格』**と、考えて頂ければOKです。

この噛み砕いた表現を、日常生活のあるあるネタに置き換えてみます。会社にいる時はバリバリビシビシ働いている人なのに、恋人の前では信じられないくらいゴロニャンしている……という状態です。会社で関わる人は「仕事上の関係」ですが、恋人は、「特別に親しみを感じている人」になりますので、絶対に態度が違うはずです。このように、僕もあなたも、社会で関わる人の前では仮面をつけて生きていますが、特別に親しみを感じている人の前では仮面を外し、すっぴん状態なのです。

もし、8ハウスにふたご座が入っている場合は、普段は、言葉を選んで話すのに、堰を切ったようにたくさん喋るようになります。もう少しわかりやすくお伝えすると、8ハウスは、『あなたが「あの人は、特別な人」と認識している人の前でだけ見せる、特別な表情』ということです。

8ハウス

## おひつじ座

8ハウスおひつじ座は、『あなただけ見つめてる』という性格です。おひつじ座は、「コレ！」と決めたことに対しては、とにかく真っ直ぐです。この気質が人に向けられると、「あなた！」と決めた人に対して、あなただけ見つめてる状態になり、ストレートに言葉を伝えますし、交じり気のないピュアな愛情表現をします。

8ハウス

## おうし座

8ハウスおうし座は、『感情溜め込みがちの、ヤキモチ焼き』です。基本的に、嫌なことを「嫌」と言えない性分なので、感情を溜め込みがちです。そのため、本当は妬いていても、妬いていることを言い出せずに、一人で悶々としていることがあります。ですので、「素直に言ってもいいんだよ」と助け船を出してもらえると喜びます。

8ハウス

## ふたご座

8ハウスふたご座は、『興味を持った人とずっと一緒にいたい』という、意外な一面があります。興味を持つ対象は、連絡頻度が似ているとか、似たような気質を感じるケースもあれば、「何だこの人は」と、全く真逆の性格をしているケースもあります。一度でも興味を持つと、そこに魅力を感じて、ずっと一緒にいたいと思うようになります。

8ハウス

## かに座

8ハウスかに座は、『大袈裟に言えば、私だけを大切にして欲しい』という性格です。例えば、パートナーとデートをしている時に、「あの人、可愛くない？」と、相手が言おうものなら……というアレです（笑）。そのため、自分だけをいかに大切にしてくれるかが重要になりますが、他の人から愛情を感じると自由にあちこち気持ちが移動してしまう奔放さもあります。

8ハウス

## しし座

8ハウスしし座は、『わたあめメンタルにつき、特別な人にはヨシヨシして欲しい』という性格です。水を垂らすとすぐに溶けてしまうわたあめのように、しし座のメンタルは非常に繊細です。また、普段は強がっていても中身は繊細なので、特別な人の前ではゴロニャン状態。ヨシヨシしてくれる味方であって欲しいと思うようになります。

8ハウス

## おとめ座

8ハウスおとめ座は、『「何でもいいよ」が口癖だけど、本当に何でも良いわけじゃない』という性格です。「あなたと一緒なら何でもいいよ」という意味であることが多いのですが、たまに、「……でも、私の好みの範囲でね」と、ちょっとワガママなところもあります（笑）。ですがこれは、特別な人の前でだけ見せる、貴重な性格です。

8ハウス
## さそり座

Scorpio

8ハウスさそり座は、『ディープな関係や、一体化を望む』という性格です。スマホのセキュリティー機能に備わっている、指紋認証がありますが、100%マッチすると次の画面に移りますよね？　この状態と一緒で、さそり座は特別な人との一体化を望むため、非常にディープな関係になります。基本、秘密ごとは絶対にバラしませんので、何を話しても大丈夫なことが多いです。

8ハウス
## てんびん座

Libra

8ハウスてんびん座は、『放し飼いでOK。会いたい人に会いに行きたい』という性格です。どれだけ親しくなっても、行動について干渉されることは好みません。会いたい人がいれば、パートナーがあまり良い顔をしなくても、なんとしてでも会いに行こうとします。しかし、性的な意味はないことがほとんどです。8ハウスてんびん座の場合は、基本、放し飼いでOKです（笑）。

8ハウス
## やぎ座

Capricorn

8ハウスやぎ座は、『表面はサバサバ&心は乙女』という性格です。どんな人の前でも、基本的にはサバサバしていて話しやすい人が多いのですが、8ハウスやぎ座の場合は、特別な人の前では心に乙女モードが出てしまい、エスコートをされたりするとキュンとしてしまいます。かなり、ギャップが激しいタイプと見て間違いないでしょう。

8ハウス
## いて座

Sagittarius

8ハウスいて座は、『放置は嫌。放任はOK』という性格です。いて座は、猫のような生き物です。猫は、首輪をつけられてもスルッと抜け出すように、いて座は首輪をつけられて管理されることを嫌います。ですが、やることなすことを見ていて欲しいし、任せて欲しいという気持ちがあるため、放任されていれば首輪がついていても気にならない面も持っています。

8ハウス
## うお座

Pisces

8ハウスうお座は、『あなたの喜びは、私の喜び。私の喜びが、あなたの喜びになりますように』と、願いを込めて人と関わります。そのため、特別な人が喜ぶと自分のことのように喜びますし、うお座の喜びを共有したいという気持ちも出てきます。ただ、これだけ大きな愛情を持っていますので、嫉妬をした時のエネルギーも相当なものです。

8ハウス
## みずがめ座

Aquarius

8ハウスみずがめ座は、『個性の尊重を非常に大切にする』という性格です。「あっ。あなたは、そういう考えなんだね。なるほどね」と、やや淡白な印象を受けるものの、「人と自分は違うんだから争っても仕方ない。尊重ベースで関わろう」というスタンスで接します。そのため、価値観が違うからといって喧嘩することはなく、尊重し合って関わるようになります。

# 9ハウス なかなか答えが出ない難しい考えごとをしている時の、解決に至る考え方

9ハウスは、星よみの中で、『哲学』と表現されます。ですが、こんな表現をされても、どう鑑定したら良いのか、サッパリわかりませんよね。もっと噛み砕いて表現してみましょう。

『哲学』と聞くと、とても難しい印象を受けると思います。例えば、「私にとって、生きることとは?」と考えると、なかなか答えは出てこないはずです。そもそも、「私にとって、生きることとは?」という質問は、算数の問題のように正解が出るものではありませんので、答えが見つからなくて当然です。若い頃は、「今を楽しく生きる!」と考えていたとしても、40代を迎える頃には、「若い頃の自分と同じような人の力になれたら」と、思うかもしれません。長く考えて、いつしか答えが出るかもしれない。

このようなイメージで、9ハウスは**『なかなか答えが出ない難しい考えごとをしている時の、解決に至る考え方』**という意味を持ちます。9ハウスに住んでいるサインの性格を使って、難しい疑問を解決していくのです。もし、9ハウスにみずがめ座が住んでいる場合は、お得意のロジカルシンキングと、客観的なアドバイスを取り入れて解決をするようになります。

9ハウス

## おひつじ座

9ハウスおひつじ座は、『一瞬全力で考えて、少しでも答えが出たら行動と結果で示す』という性格です。そのため、「そんな難しいことを考えてもしゃーないだろ。やってみなきゃわからんし」というスタンスで、行動と結果で示すようになります。ですので、周りが（～公～）こんな顔をしている時に、一瞬で重たい空気を打破することもあります。

Aries

9ハウス

## おうし座

9ハウスおうし座は、『思い込みが激しくなる』という性格です。どれくらい思い込みが激しいかというと、どんなに些細なミスでも、それによって迷惑を掛けてしまった場合は、「私が悪いんだ……」というふうになります。客観的に見れば、「いや……あなただけのせいじゃないよ」となりますので、9ハウスおうし座が難しい考えごとをしている時は、客観的な意見が必要です。

Taurus

9ハウス

## ふたご座

9ハウスふたご座は、『脳内で、回し車をクルクル回すハムスター状態』という一面を持っています。頭の回転が速く、1から10まで説明を受けなくても、「あっ、わかったわ」と、合点が行く賢さがあります。そのため、脳をフル回転させて解決することができ、どんなに難しいことでも必ず答えを出していきます。

Gemini

9ハウス

## かに座

9ハウスかに座は、『気持ちのアップダウンを繰り返しながら、答えを見つけ出す』という性格です。モチベーションという言葉がありますが、かに座のために存在していると言っても過言ではありません。「わからない……」「わかってきたかも……」と、気持ちのアップダウンを繰り返しながら、答えを見つけ出していきます。

Cancer

9ハウス

## しし座

9ハウスしし座は、『誰が何と言おうと、私が納得すればそれが答え』という性格です。しし座は、どれだけ答えを出せなくても、必ず答えを見つけ出そうとする強い意志があります。また、自分が納得することに重きを置いています。そのため、「これで間違っていないかな？」と、確認することなく、答えを出して自己完結することが大半です。

Leo

9ハウス

## おとめ座

9ハウスおとめ座は、『口コミや客観的な意見、超重要』という性格です。おとめ座は、机上の空論や、根拠が希薄な状態で物事を判断することはありません。そのため、口コミや客観的な意見を取り入れ、ベストな判断をしていきます。ですので、難題に直面した時も、安定して解決できるようになります。

Virgo

9ハウス

## さそり座

9ハウスさそり座は、『心の書斎に1年こもって、ひたすら深掘りする』という性格です。難しいことを考え出すと、「ちょっと考えごとするから」と、一言だけ言い残して、心の書斎にこもり続け、納得がいくまで最適解を出すために深掘りをし続けます。必ず、難題を解決するための答えを出しますが、どこまでもやり続けてしまうため、周囲は注意が必要です。

9ハウス

## てんびん座

9ハウスてんびん座は、『相談事はその道の専門家を頼る』という性格です。そのため、てんびん座が難題に直面して答えが出ない時は、親友、恋人、夫婦という親密な関係の人に相談するのではなく、その道の専門家に相談することが多くなります。適材適所な人を頼って、効率的に難題を解決するための答えを探し出します。

9ハウス

## やぎ座

9ハウスやぎ座は、『石橋を何度も叩いてから、大胆に渡る』という性格です。そのため、難題に直面した時は、信頼できる複数の人に「この考えはどうか？」と質問してフィードバックをもらい、帰ってきた答えにムラがなければ「じゃあ、後は野となれ山となれ」と、勢いに任せて難題をクリアしていく傾向があります。

9ハウス

## いて座

9ハウスいて座は、『基本、何とかなるマインドで解決する』という、やや体育会系なところがあります。ですが、本当に何も考えていない状態で「何とかなる」と言っているのではなく、ある程度考えた上で、「これくらい考えれば何とかなるっしょ」と割り切って、実際に行動を起こして結果で示そうとします。この辺はおひつじ座さんと似ています。

9ハウス

## うお座

9ハウスうお座は、『神のみぞ知るスタンスで、お気楽に考える』という性格です。うお座は直感オンリーの星座と思われがちですが、実は、かなり頭がキレます。「神のみぞ知る」という言葉は「人間にはコントロールできない領域があるから、考えても仕方ない」という意味であり、非常に楽観的なスタンスで難題をクリアしていきます。

9ハウス

## みずがめ座

9ハウスみずがめ座は、『散々緻密に考えるけれど、最後は直感で解決』という、何とも不思議な性格です。最初は、あーでもない、こーでもないと独り言を呟くようにして考えるのですが、点と点が繋がるような直感が降りると、勢いに任せて行動を起こして結果を出し、難題を結果で塗り替えてなかったことにするという傾向があります。

Scorpio Libra Capricorn Sagittarius Pisces Aquarius

# 10 ハウス

## あなたが仕事にやりがいを感じる状態

10ハウスは、**『あなたが仕事にやりがいを感じる状態』**を見つけるハウスです。世の中には、本当にたくさんの仕事が存在しています。バーテンダー、映画監督、事務職、カウンセラー等、例を挙げればキリがありません。だから多くの人は、「私に向いている仕事ってなんだろう……?」と、迷ってしまうのです。

10ハウスのサインを鑑定すると、「どういう状態になると、仕事にやりがいを感じられるのか?」という点を知ることができます。「じゃあ、10ハウス○○座で鑑定した、やりがいを感じられる状態を実現できる職業って何かな?」と、適職を見つけていくことも可能です。

例えば、10ハウスにやぎ座が入っている場合は、『あらかじめ決められたルーティーンに沿って行動することが得意』になりますので、決められたタスクを淡々と消化していくことで、やりがいを感じていきます。タスクを自分で考えて、新しい仕事を発見していくような職業は、少し億劫に感じるかもしれません。ド定番の鑑定結果としては、トップに雇われて的確な指示をもらって動くような職業が良いということになります。

10ハウス

## おひつじ座



10ハウスおひつじ座は、『満足行くまでやり抜いて、満足したら方向転換する』という性格です。「これだ！」と、直感的に感じたものに対して、満足いくまでやり抜きますが、満足した途端、パパッと方向転換することが多くなります。そのため、1つの職業に絞るというよりも、結果的にマルチに仕事をこなす傾向が出てきます。

10ハウス

## おうし座



10ハウスおうし座は、『五感で表現することを好む』という性格です。味覚、嗅覚、触覚、視覚、聴覚。この五感をフルに活かして、世界観を表現しようとするのです。僕のおうし座の友人には、クラフト作りや絵画、趣味で撮影した写真が企業に採用されたケースがあります。このように、物を通じて世界観を表現することに、強いやりがいを感じるのです。

10ハウス

## ふたご座



10ハウスふたご座は、『言葉選びの魔術師』という不思議な性格です。どういう表現をすれば伝わりやすいか、喜ばれるかを察知して言葉を選んで話しますので、高い言語表現力を活かすことでやりがいを感じます。ですが、人前で話すのがやや苦手であったり、シャイな一面がありますので、司会者を任せられるのは嫌う傾向にあります。

10ハウス

## かに座



10ハウスかに座は、『喜怒哀楽、全ての感情を大切にする』という性格です。かに座自身も、自分の喜怒哀楽に正直であるため、素直に感情を表現します。また、哀しい気持ちから喜びの気持ちに変化した人を見ることにも喜びを感じるため、人の気持ちをサポートするような仕事に就くと、やりがいを感じやすくなるでしょう。

10ハウス

## しし座



10ハウスしし座は、『私の世界観、良くない!?』という部分に共感し、応援してもらえると嬉しい』という性格です。そのため、個別の職業というより、どの職業でも、仕事を通じて自分の世界観を打ち出し、共感や応援してくれる人が集まると、やりがいを感じます。ただし、言動が華やかに見えるため、アンチがつきやすくなることもあります。

10ハウス

## おとめ座



10ハウスおとめ座は、『AとBをアレンジして「あったら助かるな……」という物を作り出すのが得意』な性格です。DIYで例えると、「お手洗いのコーナーに、少し物を置けると助かるな」と考えた時に、木材や部品を合わせて、棚などを作ることが上手です。そのため、アレンジして生み出したことが職場の助けになると、やりがいを感じやすくなります。

Libra

10ハウス

## てんびん座

10ハウスてんびん座は、『常に周りへの気配りをして、効率的に物事を進めることを好む』という性格です。オンモードのてんびん座は、自分の仕事をしていても、周りの人の話を無意識に収集して、どこにヘルプが必要なのかを把握しています。そして、サッとヘルプに入って効率的に進めていくことができると、仕事にやりがいを感じるでしょう。

Scorpio

10ハウス

## さそり座

10ハウスさそり座は、『THE・ドがつくオタク気質』です。さそり座のオタク気質は、人の心のように正解が存在しないものに向けられます。そのため1＋1＝2というふうに、それ以上考えなくても良い、絶対の正解が決まっているものに対しては、一切興味を示しません。ですので、人の心を深掘りしまくれるような仕事に就くと、非常にやりがいを感じるようになります。

Sagittarius

10ハウス

## いて座

10ハウスいて座は、『いかに、人に喜んでもらうのかを考える』という性格です。ですので、仕事という、利益を上げなければならない状況においても、利益度外視で振る舞うことがあります。既存の組織に雇われるのはなかなか難しく、自分で仕事を立ち上げるほうが10ハウスいて座はやりがいを感じ、満足するでしょう。

Capricorn

10ハウス

## やぎ座

10ハウスやぎ座は、『TOPになるよりも、大殿の懐刀のポジションを好む』という性格です。やぎ座は、何を任せても必ずやり遂げるため、多くの人から信頼されます。また、自分より下の立場の人に対する指導やケアも怠らないため、トップからすると絶対に手放せない人材です。そのため、やぎ座がこのようなポジションを任せられるとやりがいを感じるようになります。

Aquarius

10ハウス

## みずがめ座

10ハウスみずがめ座は、『オリジナルを生み出すことが何よりも大事』という性格です。みずがめ座は、普通を嫌います。むしろ、少し風変わりであることを好みます(笑)。そのため、オリジナルを生み出すことを大事にするため、発想力を活かせるような仕事に就くと、強いやりがいを感じ、いつまでもやり続けることができます。

Pisces

10ハウス

## うお座

10ハウスうお座は、『抜きところと極めどころの塩梅がしっかりしている』という性格です。本気モードのうお座は、最高のものを仕上げようとしますが、「まぁ、ここはいいかな」というところは、信じられないくらい抜けていて、すごく雑なところもあります(笑)。この、極端な緩急を活かせる仕事に就くことが、理想的といえるでしょう。

# 11ハウス

# コミュニティーという場において、どのような立ち回りをするのか？

11ハウスは、一般的に『コミュニティー』と表現されます。これまでと同様に、コミュニティーと抽象的な表現では、どのように鑑定したら良いのかがわからないですよね。

コミュニティーという言葉を別の表現に置き換えると、『横の繋がり』です。例えば、料理教室、テニスクラブ、ジム等を思い浮かべてください。会社では、○○会社の社長、△△商事の部長というように、肩書きで判断されたり、縦割りの関係で繋がることになります。ですが、コミュニティーの場では、社長でも部長でも関係なく、一人の人間としておつき合いをしますよね。11ハウスとは、**『コミュニティーという場において、どのような立ち回りをするのか？』**という部分を鑑定する場所であるということです。

もし、11ハウスにおとめ座が住んでいる場合は、その場にいる人たちが、みんな良い気分で過ごせるように、あれこれ準備をして、もてなすことに喜びを感じるようになります。また、しし座が住んでいる場合は、無意識に華やかな言動が出てしまうため、コミュニティーという複数の人がいる場においても、自然と目立つようになるでしょう。

11ハウス

## おひつじ座

Aries

11ハウスおひつじ座は、『ものすごく自然な形で人の地雷を踏み抜く、ムードメーカー』という性格です。思ったことが、つい口から出てしまうおひつじ座ですが、本当に悪気がないのが特徴で、「またやったよ……(笑)」と、慣れている人にとっては、ムードメーカー的な存在になります。ただし、それをフォローしてくれる人が必要です。

11ハウス

## おうし座

Taurus

11ハウスおうし座は、『温度、湿度等、快適さに対して徹底してこだわる』という性格です。そのため、コミュニティーの場においては、「みんな、暑くないかな？」とか、梅雨時であれば、「ちゃんと除湿できているかな？」とか、クッションの座り心地等に配慮し、快適な環境を提供することに熱心になるため、絶対に欠かせない存在です。

11ハウス

## ふたご座

Gemini

11ハウスふたご座は、『気の利いたジョークで場を盛り上げるムードメーカー』です。そのため、コミュニティーの場においては、「あいつがいないと盛り上がらないな」と、思われるようになり、盛り上げ役に抜擢されます。盛り上げ役といっても、節操なく騒ぎ立てるのではなく、知性溢れるユーモア力で笑いを取るため、紳士的な人に見えることが多くなります。

11ハウス

## かに座

Cancer

11ハウスかに座は、『楽しい集まりではみんなのお世話役になっちゃう寮母さん的な性格』です。コミュニティーの場において、参加者さんが楽しんでくれるよう、率先して切り盛りします。ですが、人が多過ぎると全体に目が行き届かなくなり、最終的には、両サイドに座っている人にだけ気配りが限定されていくのが特徴的です。

11ハウス

## しし座

Leo

11ハウスしし座は、『あなたはあなた、私は私。人それぞれ好きにしたら良い』という考えを持っています。非常にドライに見えますが、捻くれているのではなく、自分という軸を大事にしているのです。そのため、大勢のコミュニティーで群れることはあまり好まず、むしろ、単独行動、自由行動を好むようになります。

11ハウス

## おとめ座

Virgo

11ハウスおとめ座は、時間や予定等を管理する能力に長けているため、コミュニティーの場においては、『みんな頼りにしている、みんなの連絡網』という役割を担うことが多くなります。1回の連絡でみんなと連絡が取れるようにグループを組んで、パパッと予定を調整してくれるため、1コミュニティーにつき、1おとめ座は必須になります。

11ハウス
## さそり座

11ハウスさそり座の人づき合いの感覚は、てんびん座と似ています。てんびん座は、4人以下でしたが、さそり座は、『1対1でつき合いたい』という希望を持っています。大勢の場に参加することもありますが、ほとんど喋りません。ですが、1次会の後に2人で飲み直したりすると、信じられないくらい喋ります。基本、大勢のコミュニティーには、属さないでしょう。

Scorpio

11ハウス
## てんびん座

11ハウスてんびん座は、大勢の集まりを好まず『4人以下の集まりでお願いします』という希望を持っています。自分の意見よりも周りの雰囲気を大事にする性格から、本音を言うことはほとんどありません。また、4人以下というコンパクトな集まりの場でないと、あちこちに気を遣って疲れてしまうため、飲み会では、1次会までの参加ということが多くなります。

Libra

11ハウス
## やぎ座

11ハウスやぎ座は、周りに迷惑を掛けないことを大切にしているので、『枠内で決められた自由な行動はいいけど、自分勝手な行動はダメ』と、きちんとルールに則って動きます。そのため、たくさんの人の管理が必要になるコミュニティーの場においては、必要な人です。なぜなら、やぎ座がいないと全員が自分勝手な行動を取ってしまい、収拾がつかなくなるからです。

Capricorn

11ハウス
## いて座

11ハウスいて座は、『集団行動苦手。好きに動きたい』という性格です。これは、僕の話なのですが、本当に集団行動が苦手です。実家に帰って家族で買い物に行く時も、お店に入った途端、一人でフラフラどこかへ旅立ってしまいます（5歳から今まで、ずっとこんな感じです）。そのため、集団行動が必要なコミュニティーからはすぐに離れてしまいます。

Sagittarius

11ハウス
## うお座

11ハウスうお座は、『最強の浪費家だけど、最強の喜ばせ好き』という性格です。うお座は、人を喜ばせるためなら、その場にいる全員のお会計を持つことがあります。「これくらいの金額で、みんなが喜んでくれて、思い出になるならいいじゃん」と、何とも驚く持論を言い放つため、周りはびっくりしますが、うお座がいると不思議とその場が笑顔に包まれます。

Pisces

11ハウス
## みずがめ座

11ハウスみずがめ座は、『呼ばれれば行くけど、本当は一人でゆっくりしたい』という性格です。みずがめ座は、必要とされれば応えますが、普段から気を遣っている分、集団でワイワイするよりも、一人の時間を過ごして休みたいという欲求があります。そのため、しし座と同じように、特定のコミュニティーに属することは、ほとんどありません。

Aquarius

12
ハウス

# 無意識に使っている特性

12ハウスは、星よみの中で、一番理解に苦しむハウスとして有名です。なぜなら、カルマ、潜在意識、前世等、とても難しい言葉で表現されていたり、深層心理、メンタルと、どこかで聞いたことがある言葉が出てきたりと、表現の幅が広過ぎるからです。

今回は、12ハウスの意味に登場する、『潜在意識』という言葉を使って説明しましょう。潜在意識を別の言葉に置き換えると『無意識』です。無意識というと、見慣れない言葉に感じるかもしれませんが、実は、ほとんどの人が無意識を感じる出来事を体験しているのです。

これまで生きてきた中で、「ねぇ、あなたってこういう癖があるよね?」と、指摘されたことはなかったでしょうか。本人は気づいていないけど、客観的に見るとやっている癖。これが、12ハウスの意味する無意識という言葉の意味です。

つまり、12ハウスが意味するものは**『無意識に使っている特性』**と表現でき、「12ハウスに住んでいるサインの特性を無意識に使っている可能性がありますよ」と鑑定ができます。ただ、これまでの鑑定の経験上、12ハウスは無意識に使っている……という特性を持っているため、鑑定結果を受け取った方が「ちょっとわからない……」と戸惑うことが、一番多くなります。

12ハウス
## おうし座

12ハウスおうし座は、『身振り手振りを使って、自分の状態を伝えようとする』という癖があります。すぐに説明を求められても、なかなか言葉にできないおうし座は、身振り手振り、ジェスチャーを通じて自分の考えや気持ちを伝えようとしますが、意識的にやっているというよりも、気づかないうちにやっていることが多いのです。

12ハウス
## おひつじ座

12ハウスおひつじ座は、『やる時も全力。そして、凹む時も全力』という性格です。全力でやるという能力を持っているおひつじ座は、やる時も全力ですし、凹む時も全力で凹みます。12ハウスにおひつじ座が住んでいる場合は、この特性を無意識に使っている可能性が高くなり、気づいたらエネルギー空っぽ状態になっていることも……。

12ハウス
## かに座

12ハウスかに座は、『腹が決まれば、即行動、縦横無尽に動く』という性格です。12ハウスにかに座が住んでいる場合は、「気づいたら、何か勝手に動いているんだけど」と、持ち前の行動力を知らないうちに使っている可能性が高くなります。ただ、かに座は気持ちのアップダウンが激しいので、気持ちを意識的に客観視することが大切になります。

12ハウス
## ふたご座

12ハウスふたご座は、『トラブルが起こった時は、考え方を変えて解決する』という癖があります。例えば、失敗してしまった時に、ほとんどの人は「失敗した……」と落ち込んでしまいます。ふたご座は、「次回、失敗しない方法を知ることができた」というふうに考えてトラブルを解決していくということを、無意識にやっているはずです。

12ハウス
## おとめ座

12ハウスおとめ座は、『細かいのではなく、どうしても気になっちゃう』という性格です。そのため、知らず知らずのうちに、「あっ、前髪切った？」とか、「あれっ、コレ置いておく場所って、ここじゃなくない？」と、小さな違和感に気づいてしまいます。仕事では活きますが、オフの時は、気づくおとめ座自身が一番疲れてしまうかもしれません。

12ハウス
## しし座

12ハウスしし座は、『批判されるのは、嫌。だから私は、あなたの味方であり続ける』という性格です。豆腐メンタルのしし座は、批判されることをこよなく嫌います。ですが、嫌でも目立ってしまうため、どうしても批判の的になる機会が多くなるのです。批判されることのつらさを知っているからこそ、無意識に、味方であり続けようとするのです。

Scorpio

12ハウス
## さそり座

12ハウスさそり座は、『瞬間的に嘘や本心を見抜く』という特性があります。そのため、12ハウスにさそり座が住んでいる方は、「なんか、どれだけ綺麗な言葉を使っていても、本心は違うんでしょ」と、他人の本音がわかり過ぎてしまい、人と関わることに疲れてしまう……ということになる場合もあります。

Libra

12ハウス
## てんびん座

12ハウスてんびん座は、『塩対応と神対応が、抜群に上手い』という性格です。礼儀正しい人には、「どんな環境で育ったら、そんな神がかり的な対応をできるのか？」という対応をしますが、人としてヤバイ人には、必要最低限の会話で済ませる、塩対応をします。つまり、無意識に塩対応と神対応を使い分けているということです。

Capricorn

12ハウス
## やぎ座

12ハウスやぎ座は、『ある程度計画が決まっていれば、大雑把』という性格です。僕は、この性格を、“ノールック・クックパッド”と呼んでいます。料理を作る時も、料理の全体像や調味料の名前だけを見て、美味しく作ることができます。そのため、「あなたって、意外と大雑把よね」と、言われることが多くなります（笑）。

Sagittarius

12ハウス
## いて座

12ハウスいて座は、『実は、1日24時間オープンのコンビニ状態で考えごとをする』という性格です。表面的には、な――んにも考えていないと思われがちですが、実は、無意識のうちに常に考えごとをしています。そのため、何かわからないけど、いつも頭が休まらない……」となってしまうことがあります。

Pisces

12ハウス
## うお座

12ハウスうお座は、『先見の明がある』のが特徴です。うお座は不思議キャラとして扱われることが多くあります。これは、物事をあまりにも先読みしてしまうため、周りがついて来られないためです。結果的にうお座の言った通りになることが多く、預言者のような存在になることもあります。

Aquarius

12ハウス
## みずがめ座

12ハウスみずがめ座は、『人生ちゃぶ台返し』という癖を持っています。みずがめ座は、ある日突然、「もう、どうでもええ」と、全てがどうでも良くなることがあり、人生をオールリセットするかのように、ちゃぶ台返しをします。このような行動が無自覚に出てしまうため、「昨日と今日とで、人生が全然違う」というようなことが、起こりやすくなります。

天体とは？
ホロスコープを見ると、ハウスの中に何か記号が書かれているのがわかるかな？
これが天体を表す記号だよ
次は天体について解説します！
お願いします！
天体の記号
勉強し始めの人は、とりあえずこの10種類を覚えておけば大丈夫。慣れてきたら、ドラゴンヘッド、ドラゴンテイル、カイロンの3種類についても覚えると、より専門的な鑑定ができるようになるよ
月
水星
金星
太陽
火星
木星
土星
天王星
海王星
冥王星
サラサラ…
フムフム
金星とか火星とか、宇宙の勉強みたい。ところで、天体は何を意味しているの？
天体は、毎日その人が取っている行動と理解するといいよ
ココさんの場合は、恋愛のアプローチ方法を意味している金星にさそり座がついているから、
好きな相手にアプローチする際には、さそり座の特徴が出るということになるんだ
へー、面白い！星よみって本当に奥が深いね
ワタシはさそり座

# 天体とは

Heavenly Body

天体が表すものとは、『あなたが毎日取っている行動』と理解して頂ければ問題ありません。行動と聞くと、いまいちピンとこないかもしれませんが、恋愛に置き換えるとわかりやすくなります。誰かを好きになった時、積極的にアプローチをする人もいれば、「自分からデートに誘うなんて、とんでもない……」と、やや奥手な感じでアプローチをする人もいます。このように、みんなが同じアプローチをするわけではありません。

星よみにおいて、恋愛のアプローチ方法を意味しているのは金星です。先ほどお伝えした「みんなが同じアプローチをするわけではありません」という、アプローチの違いは、金星についているサインで知ることができます。例えば、『変化球を投げずに、ストレートに気持ちを伝える』という性格をしているおひつじ座と金星がセットになっている場合の鑑定は、「恋愛のアプローチ方法は、変化球を投げずに、ストレートに気持ちを伝える」ということになります。

つまり、星よみに登場する、月から冥王星までの基本10天体にどのサインがセットになっているのかによって、あなたが取る行動に変化が生まれるということです。また、鑑定の際には、必ずしも『行動』という言葉だけでなく『アプローチ』『生き方』等、似た意味を持つ別の言葉に置き換えても大丈夫です。

# あなたが知らず知らずのうちに取っている行動

月は、**『あなたが知らず知らずのうちに取っている行動』**という意味です。以前、クライアントさんから、「だいきさんは、お話をされる時に、ジェスチャーが多くなりますよね」と言われたことがありました。ですが、僕は、知らず知らずのうちにジェスチャーをしていたので、「えっ!? 本当に?」と、驚きました。このように、人には、無意識に取っている癖のようなものがあるのです。

心理学の中に、「ジョハリの窓」という自己分析方法があります（P45参照）。この中に、「他人は知っているけど、あなたは知らない部分」というものが存在しています。これは「あなたが知らず知らずのうちに取っている行動」とリンクする部分ですので、ジョハリの窓と合わせて月を考えると、とても理解しやすくなります。

もし、月といて座がセットになっている場合、「月星座いて座（月いて座）」と表現します。この組み合わせを鑑定する時は、知らず知らずのうちにいて座的な行動を取っている……と表現することができます。いて座は自由の象徴のように扱われることもあり、「どこ行くの?」など、行動に干渉されることが苦手で、「好きにさせてよ」という性格をしているため、知らず知らずのうちに、自由奔放な生き方をするようになります。

## 月 おひつじ座

Aries

『知らず知らずのうちに、いても立ってもいられない』という傾向が出てきます。子どもに「じっとしていなさい！」と言っても、じっとしてくれないのと同じように、月おひつじ座の場合は、常にソワソワして動くことに重きが置かれるため、知らないうちにパパッと体が動くようになります。

## 月 おうし座

Taurus

『知らず知らずのうちに、快か不快か』という基準で動くようになります。心理学に「快不快の法則」という言葉がありますが、月おうし座は無意識のうちに、快の状態を選ぼうとします。この状態をわかりやすく言うと、「楽しいことが好き！」ということです（笑）。そのため、ハウスのテーマにおいて、楽しいかどうかが行動基準になります。

## 月 ふたご座

Gemini

『知らず知らずのうちに、距離を取って話す』という傾向が出てきます。ここでいう「距離」という言葉の意味は、物理的な距離ではなく、気持ち的な意味です。月ふたご座にとって言葉とは、人との距離感を測るために必要なものです。まるで、ピッチャーが投げる牽制球のような言葉を発し、相手の出方をうかがったり、相手の行動を抑制しようとすることがあります。

## 月 かに座

Cancer

『知らず知らずのうちに、気持ちに共感する』という傾向が出てきます。「月かに座＝人の気持ちに共感する……」と言われることが多いのですが、かに座は、自分の気持ちにも敏感です。そのため、ハウスのテーマにおいて、気持ちが落ち着いていることが何よりも重要になります。ひっくるめて表現すれば、無意識に共感する癖があるということです。

## 月 しし座

Leo

『知らず知らずのうちに、納得感を大事にする』という傾向が出ます。そのため、ハウスのテーマにおいて、「私は、どうすべきか？」と考えた時に、周りの意見に流されることはありません。いかに、自分が納得できるのか？　腹落ちするのかが重要であり、心で思っていることを曲げることはありません。

## 月 おとめ座

Virgo

『知らず知らずのうちに、確認癖が出る』という傾向が出てきます。月おとめ座は、周りに迷惑を掛けたくないという考えが強く、確認して未然に防ごうとします。そのため、ハウスのテーマにおいて、気になる部分が出てきた時に、そこで関わっている人に迷惑を掛けないために、無意識に確認をするようになるのです。

## 月 さそり座

『知らず知らずのうちに、本心と建前を見抜く』という傾向が出てきます。月さそり座は、他人の建前を見抜きますが、同時に、自分の気持ちに嘘をつくこともしません。そのため、ハウスのテーマにおいて関わる人、もしくは、自分が、本当はどうしたいのかを汲み取り、本心に従っていくようになります。

Scorpio

## 月 てんびん座

『知らず知らずのうちに、神対応と塩対応をする』という傾向が出てきます。月てんびん座は、礼儀正しい人には神対応。そうでない人には塩対応をするプロです。そのため、ハウスのテーマにおいて、礼儀正しい人とそうでない人には、明らかに対応が変わります。ですが、塩対応をしても失礼に当たるような態度はしないため、バレることはありません（笑）。

Libra

## 月 やぎ座

『知らず知らずのうちに、大雑把さと緻密さを発揮する』という傾向が出てきます。「やぎ座＝カタブツ」は定説になっていますが、実は、土台が固まっていれば、「後は、臨機応変に動いてOK！」という、大雑把なところもあるのです。そのため、ハウスのテーマについて取り組む時は、大雑把さと緻密さの両方を発揮するようになります。

Capricorn

## 月 いて座

『知らず知らずのうちに、24時間オープンのコンビニのように考えごとをする』という傾向が出てきます。そのため、ハウスのテーマにおいて、無意識に考えごとをすることが多くなります。月いて座は、自由の象徴のように扱われますが、それはあくまで表面的なものに過ぎず、実は、陰で1日中考えごとをしていることが多いです。

Sagittarius

## 月 うお座

『知らず知らずのうちに、人の気持ちを瞬間的に察する』という傾向が出てきます。人の気持ちに非常に敏感な人をHSPといいますが、月うお座はまさにHSPに当てはまるくらい、人の気持ちに敏感です。醸し出す雰囲気、目力、声のトーン等から、人の気持ちを察します。繊細な性格のうお座は、ハウスのテーマにおいて関わる人の気持ちを汲み取り、助けるような接し方をします。

Pisces

## 月 みずがめ座

『知らず知らずのうちに、オリジナリティーを探求する』という傾向が出てきます。一匹狼気質の月みずがめ座は、決して群れることなく独自の道を生きようとします。そのため、ハウスのテーマにおいて、「もっとこうしたらいいのでは？」と、オリジナリティーを追求する傾向が出てくるのです。

Aquarius

# 水星

# あなたが一番やっている話し方

水星は、『あなたが一番やっている話し方』を意味します。まず、あなたと同じように話す人はいないですよね。もしかしたら、あなたは、その場に合うように言葉を選びながら話すかもしれませんし、逆に、あなたのお友だちは、言葉を選ばずに包み隠さず話すかもしれません。このように、人によって話し方は違います。

では、どのポイントを見て、話し方の違いを鑑定するのか。水星とセットになっているサインを見ていきます。例えば、水星かに座を持つAさんと、水星みずがめ座を持つBさんがいた場合。Aさんは、かに座的な話し方になり、Bさんは、みずがめ座的な話し方をします。どれくらい話し方が違うのかを見比べてみましょう。

水星かに座のAさんは、『共感を大事にする話し方』をするため、感情を動かすように気持ちを込めた話し方になります。ですが、『独特の持論を展開する』水星みずがめ座のBさんは、「いつ、どこで、誰が、何を、どうした?」と、道筋を立てた話し方をします。このように、水星と組み合わさるサインによって、話し方は大きく変わってくるということです。

## 水星 おひつじ座

『応援！　背中押し！　勢いつける』という話し方をします。飽き性といわれるおひつじ座ですが、それは誤解です。なぜなら薪をくべれば燃え続ける火のように、周りからのエールがあれば、やり続けることができる性格だからです。他人と話す時には、自分にやっているのと同じように、火をくべて勇気づけます。

## 水星 おうし座

水星おうし座は、『即レスできない代わりに、感じていることを丁寧に届けたい』という話し方をします。水星おうし座は、即レスを求められると困ってしまいます。しかし、これは、頭の回転が鈍いのではなく、ちゃんと自分の考えていること、感じていることを伝えたいという丁寧さの表れなのです。

## 水星 ふたご座

水星ふたご座は、『意識的に相手の表情を読み取って、何を言いたいか言葉の先読みをする』という話し方をします。グイグイこられるのがあまり好きではない水星ふたご座は、自分と相手の距離を詰めないように、相手の表情からどのような話をするのかを察して、適切な言葉を選んで話すのです。

## 水星 かに座

水星かに座は、『気持ちにも寄り添うけれど、最後の一歩は相手に決めてもらう』と、相手が自立することを大事にした話し方をします。何でもかんでも「ヨシヨシ……」としていると、依存を生むこともありますが、水星かに座は、本人が自立してくれるように、共感と応援を使い分けます。そして、相手が最後の一歩を自分で決められるように関わります。

## 水星 しし座

水星しし座は、『至らないところは指摘。けれど、否定せず肯定的に接する』という話し方をします。正しいか、間違いかは、水星しし座にとってはシンプルでわかりやすいのですが、否定されることを嫌います。そのため、至らない部分だけを指摘するだけで、人間性を否定することとは絶対にしません。

## 水星 おとめ座

水星おとめ座は、『愚痴と相談の違いを聞き分けて、相手に合わせて関わる』という話し方が目立ちます。水星おとめ座自身も、愚痴を話している時は、ただ共感してもらうことで喜びを感じ、相談をしている時は、ちゃんとしたアドバイスを求める性格です。そのため、自分がされて嬉しい話し方を、相手にもするようになるのです。

## 水星 さそり座

Scorpio

水星さそり座は、『本心から生まれる言葉で話し合いたい』という傾向が目立ちます。水星さそり座は、どれだけ不器用な言葉であったとしても、そこに相手の本心が見えれば、全てが美しく見えてしまいます。上辺の会話には興味がなく、本心を伝え合えるような関わり方を好むため、本心ベースの言葉で話すようになるのです。

## 水星 てんびん座

Libra

水星てんびん座は、『引き出し上手の、天才聞き役』という傾向があり、いわゆる、聞き上手さんに多い組み合わせです。「最近、表参道で美味しいご飯屋さんを見つけた！」と言われた時に、息をするように「表参道で？　どの辺？　っていうか、何屋さん？」と、質問して相手から答えを引き出すような話し方が多くなります。

## 水星 やぎ座

Capricorn

水星やぎ座は、『言葉遣いが綺麗で、相手を諭すように話す』という傾向があります。礼儀礼節を重んじ、質問をする時は、「お忙しいところ、申し訳ございません」と、必ず一言添える水星やぎ座は、とにかく言葉遣いが綺麗です。また、「怒る」よりも「諭す」ことを大事にしているため、気づきを促すような話し方が多くなります。

## 水星 いて座

Sagittarius

水星いて座は、『「で？　どうするかね？」と、話の矛先は全て未来』という話し方をします。未来を実現させるために今を生きる水星いて座にとって、原点回帰という言葉は、最も興味のない言葉です。そのため、会話をする時は将来のことや、先々を見据えて話す傾向があります。水星いて座の人と話していると、その前向きさに単純にテンションが上がります（笑）。

## 水星 うお座

Pisces

水星うお座は、『最も優しく、最も辛辣な言葉を投げ掛ける』という話し方が目立ちます。水星うお座が「この人、いいな」と思った人に対しては、相手がどのような状態でも受け入れるという優しさを感じてもらえるように、言葉を選んで話します。しかし、時には、耳を塞ぎたくなる辛辣な真実を相手に告げる厳しさも持っています。

## 水星 みずがめ座

Aquarius

水星みずがめ座は、『独特の持論を展開する』という傾向があるため、いわゆる、ちょっと変わったことを言う人……と、思われることが多くなります。水星みずがめ座は、全く意味のないルールはパパッと変えて、新しいルールを作るため、時代を先取りした持論を展開することが多くなりますが、論旨が明快であるため非常に説得力があります。

# 金星

## あなたがワクワクする時のポイント

金星は、『あなたがワクワクする時のポイント』という意味です。まず、これからあなたが、金星を鑑定しやすくするために、ハウスのお話をします。1から12ハウスには、それぞれ、テーマがありましたよね。2ハウスは『お金の稼ぎ方』、1ハウスは『基本的な性格』。

もし、2ハウスに金星が入っている場合は、お金を稼ぐことにワクワクするようになりますし、1ハウスに金星が入っている場合は、自分の性格を知ることに興味を持ち、自分を知ることにワクワクするようになります。どのようにお金を稼いでいくのか、自分を知るのかは、人それぞれ違います。ここで登場するのが、金星とセットになっているサインの性格です。

例えば、金星みずがめ座の場合は、『オリジナルブランドを確立することへの強い興味関心を抱く』という性格があるため、独創的なアイディアが浮かんでくるとワクワクするようになります。あとは、これが『自分を知ることへの楽しさ（1ハウス）』に向けられるのか、『お金の稼ぎ方（2ハウス）』に向けられるのかによって変わります。基本的に、金星みずがめ座が入っているハウスは、ちょっと風変わりな鑑定結果になることが多いので、鉄板の鑑定ネタとして覚えておくのも良いでしょう。

## 金星 おひつじ座

『行動への水さしはNG。思うがままにやること』という性格の、金星おひつじ座。横から、「あれやったの？　確認したの？」と、あれこれ水をさされることは、金星おひつじ座最大のタブーです(笑)。そのため、ハウスのテーマにおいて、とにかく「やりたい！」という意志をバックアップしてくれると、強いワクワク感を感じます。

## 金星 おうし座

『「嬉しい！　楽しい！」という気持ちになっている時の感覚を、周りの人と共有すること』で、ワクワクするようになります。金星おうし座にとって、「どうして嬉しいのか？　楽しいのか？」という細かい理由は必要ありません。そのため、言語化できない感覚を共有することに、ワクワクした気分を感じるのです。

## 金星 ふたご座

『興味があることに対して話し始めると、話が止まらなくなる』金星ふたご座。ですが、あくまでも「興味があること」が前提ですので、あまり興味が湧かないことに対しては、若干スルーしがちです（笑)。興味があることには俄然ワクワクした態度が出ますので、興味がある話なのか、そうじゃないのかを判断しやすくなります。

## 金星 かに座

金星かに座は、『「ありがとう」だけで、その人のためにいくらでも尽くしてしまう』という傾向が出てきます。金星かに座にとって、「ありがとう」は、テンションがMAXになるくらい嬉しいものです。そして、相手が喜んでくれていることを実感できるとワクワクしてきて、いくらでも尽くすようになります。ただ、恋愛の観点で見ると、少し注意が必要です。

## 金星 しし座

『自分の世界観に共感してくれている』と実感すると、とてもワクワクします。金星しし座は、エンターテイナーと表現されることがありますが、エンターテイナーは賛否両論の評価を受けますよね？常に批判に晒されているエンターテイナーにとって、自分の世界観への共感は、強い味方を得たようなものであるため、ワクワクしてくるのです。

## 金星 おとめ座

金星おとめ座は、『得意不得意を把握して、相手を育てる』という傾向が出てくると、ワクワクするようになります。縁の下の力持ち気質である金星おとめ座は、「あなたのおかげだよ」「サポートしてもらったおかげでできるようになった」と言われると、自分が人の役に立てたことがわかり、とても嬉しく、幸せな気持ちになります。

## 金星 さそり座

『何をするにもサシで関わることが好き』という傾向を持っているので、多対一よりも、一対一で関われると、テンションが上がります。そのため、ハウスのテーマにおいて、全般的に狭く深く関わることでワクワクした気分を感じやすくなるのです。また、ハウスのテーマについて深掘りすることも、ワクワクの対象です。

Scorpio

## 金星 てんびん座

『会いたい人には、男女関わらず会いにいきたい』という性格。普段は、周りに合わせますが、プライベートにおいては、放し飼い推奨の自由人です（笑）。そのため、ハウスのテーマにおいて、人との出会いの自由があることが、ワクワク感を抱く上でとても大切になります。また、てんびん座の別の特徴でもある、『相手に合わせて、聞き役or話し役』を使い分けることに楽しみも感じやすくなります。

Libra

## 金星 やぎ座

『焦らず、急がず、着実な一歩を刻み続ける』という性格の金星やぎ座ですので、コツコツやることは決して苦にならず、むしろ、確かな成長を感じることにワクワクします。そのため、ハウスのテーマにおいて、「達成したい」「形にしたい」と考えた時は、決して投げ出すことなく、小さな成長を重ねて結果を出すようになるのです。

Capricorn

## 金星 いて座

『秒で未来を描ける、未来ポジティブ思考』という傾向を持つ金星いて座は、未来のことを考えると、基本的にワクワクします。そのため、ハウスのテーマにおいては、原点回帰よりも未来思考になりやすくなります。「じゃあ、これから先どうしようね？」と考えるだけでワクワクできるため、自分で自分の機嫌を取るのが上手になります。

Sagittarius

## 金星 うお座

『相手の幸せを願ってPerfectに喜ばれることにワクワクする』という性格があります。うお座にとって、何をするにも“For You”が原動力になります。さらに、何事にもこだわって仕上げる性格なので、人に喜んでもらうと完璧なプランを思い描きます。そのため、金星うお座が住んでいるハウスにおいて、“For You”を一番に考えて動くとワクワクするようになります。

Pisces

## 金星 みずがめ座

『一人時間を過ごすのが好き』という性格の金星みずがめ座。これは、どうしても人から頼られることが多く、それによって一人の時間がなくなることによる反動です。そのため、ハウスのテーマにおいて、一人で何かをすることにワクワクしやすくなります。ただし、方向性が一致した時は、共同作業に喜びを感じることもあります。

Aquarius

# 太陽

## あなたが実現したい理想の生き方

太陽は、**『あなたが実現したい理想の生き方』**を意味します。星よみの中では、「太陽星座」といわれるのですが、星よみを知らない方に「あなたの太陽星座が～」と言っても、伝わらないことがあります。そんな時は、「朝のニュース番組で見る、誕生日星座占いだよ」と伝えるとベストです。全天体の中で「わかる！」「当たってる！」と、鑑定結果が腑に落ちやすい天体です。

もし、太陽星座がうお座の場合は、『純粋に、人の喜びのため、という想いを一心に生きる』という性格が、理想の生き方になりますし、うお座の性格を活かすことによって、あなたが実現したい理想の生き方が見つかる……と、鑑定することもできます。

また、太陽が入っているハウスのテーマは、誰もが理想的な状態にすることに対して、強い関心を抱くようになるもの。例えば、『家族と一緒にいる時に出るあなたの性格』を意味する４ハウスに太陽が入っている場合は、太陽星座にとって理想的な家族関係を実現することに、強い関心を抱くようになります。では、どのように実現できるか。その方法に当たるのが、太陽星座の性格を活かすということです。

## 太陽 おひつじ座

『勘を信じ、背中を見せて周りを勇気づける』という生き方が目立つようになります。しかし、意図的に動いているわけではなく、恐れずに前進している様子に、周りが背中を見せられている感覚になるのです。そのため、ハウスのテーマにおいて、結果的に人を引っ張って生きていくようになります。

## 太陽 おうし座

『急激な変化よりも、緩やかな変化を好む』という生き方を選ぶようになります。この影響から、ハウスのテーマにおいては、「さぁ！　今から変わるんだ！」と言われると、かなり億劫な気分になります。そのため、自分のペースでじっくりと取り組んだり、じっくり人と関わる生き方が、最も理想的な状態になります。

## 太陽 ふたご座

『1つに絞らず、様々なジャンルに触れる』という生き方が、太陽ふたご座にとって理想的な生き方です。例えば、「本業は美容師だけど、動画編集やギターも好きだから、この3つで食べていこうか」という感じです。多ジャンルの知識を学ぶため、物事を考える視点の数が多くなり、「その発想はなかった」というアドバイスを、無意識にすることもあります。

## 太陽 かに座

『手のひらに入っている大切な人が笑顔になってくれることが大事』。これが、理想的な生き方です。「手のひら」とは、かにが背負っている甲羅のことです。甲羅は小さいため、たくさんの人は入りませんが、そこにいる人たちの笑顔を願って生きる傾向が強くなります。ハウスのテーマにおいて、人が笑顔でいてくれることが重要になります。

## 太陽 しし座

『私は、私の道を生きる』。これが、理想的な生き方です。そのため、人の心を動かすような影響力を持つようになります。もし仮に、『他人から信頼されるための話の聞き方』を意味する7ハウスに入っている場合は、「結局、あなたはどうしたいの？どう生きたいの？」と、相手の心を動かすような話の聞き方をするようになります。

## 太陽 おとめ座

『縁の下の力持ちとして生きていく』という傾向が出てきます。例えば、選手が使う道具を点検し、最高のパフォーマンスを引き出すという感じです。そのため、丁寧さや周到さを持っています。もし、『答えが出ない難しい考えごとをしている時の、解決に至る考え方』を意味する9ハウスに入っている場合は、用意周到に調べて、1つ1つ丁寧に紐解いていくようになります。

## 太陽 さそり座

Scorpio

『心に刺さることだけに集中して生きる』という傾向が出てきます。そのため、ハウスのテーマに取り組むにしても、心に刺さった時だけ動き、徹底的にやり抜くようになります。もし、『お金の稼ぎ方』を意味する2ハウスに、太陽さそり座が住んでいる場合は、心に刺さるようなことであれば、徹底的にやり抜いて、それで稼いで生きるようになります。

## 太陽 てんびん座

Libra

『理解と共感のバランスを大事にして生きる』という傾向が出てきます。例えば、相談を受けた時に、悩んでいることの中身に対する理解を示しながら、その悩みごとによって生じている気持ちへも共感していきます。また、太陽てんびん座が入っているハウスのテーマにおいて、バランス感を大事にしていくことが理想の生き方になります。

## 太陽 やぎ座

Capricorn

『困っている人の力になれるように生きる』という傾向が出てきます。太陽やぎ座のイメージは、「肩書き」「富」といわれますが、ガツガツ稼ぎたいのではなく、得た物を困っている人に注ぐことを目的としているのです。そのため、ハウスのテーマで関わる人たちの力になれるように生きられると、理想的な生き方ができていると実感するようになります。

## 太陽 いて座

Sagittarius

『ビジョンを共有して、一緒に叶えるように生きる』という傾向が出てきます。いて座を象徴する「弓」は、矢とセットになっているから機能するので、夢に向かって邁進するいて座にとっては、セットになるパートナーが必要なのです。そのため、太陽いて座が住んでいるハウスのテーマに理想的な夢を描き、それを一緒に叶えるパートナーを求めるようになります。

## 太陽 うお座

Pisces

『純粋に、人の喜びのため、という想いを一心に生きる』という傾向が出てきます。太陽うお座は、「あなたの幸せが、私の幸せ」というスタンスで生きるため、いかに人の喜びに貢献できているかが重要になります。そのため、ハウスのテーマにおいては、自分のことだけでなく、他人の幸せを重視して生きるようになります。

## 太陽 みずがめ座

Aquarius

『尊敬、尊重、尊厳を大事にして、意見を押しつけることなくフラットに関わる』という傾向が出てきます。そのため、ハウスのテーマにおいて、自分の意見を押しつけることなく「この人は、こういうふうに考えるんだな」というスタンスで生きるようになります。いかに偏見のない生き方ができるかが、太陽みずがめ座にとって重要です。

# あなたがめちゃめちゃアクティブになる時

火星は、**『あなたがめちゃめちゃアクティブになる時』**を意味します。これまで、「あの人ってアクティブだよね～」というような会話をしたことはありませんか？　この瞬間が、まさに、「あの人」が火星を使っている状態なのです。

ですが、どのようにアクティブなのかは、人によって変わります。アトリエに引きこもって、体力が続く限り、黙々と何かをやり続けるという形でアクティブさを発揮する人もいますし、「東京から日帰りで福岡旅行するわ」と、片道3時間掛かる距離なのに、近所のコンビニに行くような感覚で出かけてしまうアクティブさを発揮する人もいます。

このような違いが生まれる理由が、火星とセットになっているサインです。もし、火星かに座の場合は、『大切な人が笑顔になってくれるなら、どんなことでもやっちゃう』という性格がガンガン出てしまうため、「喜ばせアクティブ」を、発揮するようになるのです。アクティブに行動をすることは、何かを得ることでもあるため、火星かに座の場合は、人の笑顔を得ることができるわけです。

また、火星が入っているハウスの読み方ですが、『理想の働き方』を意味する6ハウスに火星が入っている場合は、火星とセットのサインを活かして、理想の働き方を実現する意識が強くなります。

## 火星 おひつじ座

『考えているだけじゃ何も始まらない！　青臭くてもいいから、行動で示す！』というアクティブさを発揮するようになります。おひつじ座は、何も考えていないわけではありません。瞬間的に何をすべきかを判断し、行動に移すまでの時間が早いのです。そのため、火星おひつじ座が滞在するハウスのテーマに対して、体当たりで挑むようになります。

## 火星 おうし座

『楽しいことだけをやる！　それ以外は知らん！』と、楽しさというステータスに全振りした傾向が出るようになります。火星おうし座にとって、楽しいのか楽しくないのかというのは、生き方を左右するほど重要です。そのため、ハウスのテーマにおいて、楽しいことに対して貪欲になり、楽しさを追求するアクティブさを発揮するようになります。

## 火星 ふたご座

『興味があることを徹底的に調べて、どんどん人に伝えていく』という傾向が出てきます。火星ふたご座にとって「興味があること」とは、見るもの聞くもの全てが新鮮な、子ども心をくすぐるようなものです。そのため、ハウスのテーマにおいて疑問があればすぐに調べて、「面白い！」というものがあれば、積極的に人に話すようになります。

## 火星 かに座

『気持ちが固まれば、どんな状況であっても力押しで突破する』という傾向が出てきます。「かに座＝不安」というのは鉄板ネタですが、気持ちが固まれば驚くほどの行動力を発揮します。そのため、ハウスのテーマにおいてトラブルが起こった時にも、決断をした後は、持ち前の行動力で突破する傾向が出てきます。

## 火星 しし座

『自分が納得したことだけを、とことん突き詰めていく』という傾向が出てきます。そのため、ハウスのテーマにおいて、心底納得したことだけをとことん突き詰めていくようになります。例えば、『信頼される話の聞き方や社会の場における対人コミュニケーション』を意味する7ハウスの場合は、心底惚れた相手とだけ、とことん突き詰めて関わるようになっていきます。

## 火星 おとめ座

『自分の持っているリソースをフルに活かして、関わる人を育て上げていく』という傾向が出てきます。まるで、メジャーリーガーたちのマネージャーのように、わずかなミスも許さないプロ意識を発揮します。そのため、ハウスのテーマにおいて関わる人に対して、持てる全てを活かして、育てていくようになります。

## 火星 さそり座

『魂と魂が一体化するような、深い関わりを望む』という傾向が出てきます。火星さそり座にとって重要なのは、見えない繋がりの実感です。そのため、ハウスのテーマにおいて関わる人と、魂が一体化することを渇望するようになります。例えば、『天職』を意味する10ハウスに住んでいる場合は、仕事を通じて深い繋がりの実感を得られることに対して、積極的になるのです。

Scorpio

## 火星 てんびん座

『「この人は、どうしてこのような考え方に至ったのか？」と、細かくヒアリングする』という、傾聴力アクティブさを発揮するようになります。火星てんびん座の持ち味は、他人を理解できる傾聴力です。そのため、ハウスのテーマで関わる人に対して、積極的に他人を理解しようというアクティブさを発揮するようになるのです。

Libra

## 火星 やぎ座

『不退転の責任感ベースで、頼まれたことは絶対に成し遂げる』という傾向が出てきます。火星やぎ座にとって、頼まれたことを成し遂げるのは呼吸をするくらい当たり前のことです。ここに、アクティブさを意味する火星が合わさると、責任を果たすことがエネルギーの源になるのです。ただ、ハウスのテーマに責任感を抱き過ぎて倒れることもあるため、注意が必要です。

Capricorn

## 火星 いて座

『目を惹く理想の未来を強く打ち出し、人を引っ張っていく』という傾向が出てきます。過去、現在、未来という3つの時間軸がありますが、火星いて座にとって重要なのは、未来です。そのため、ハウスのテーマにおいて、目を惹く理想や未来を強く打ち出し、人を引っ張っていくアクティブさを発揮する、ムードメーカー的存在になります。

Sagittarius

## 火星 うお座

『超・インスピレーション特化型』という、他の星座には真似できない行動を取るようになります。嫌な予感も良い予感も、不思議と当たる火星うお座にとって、インスピレーションというのは、私たちが毎朝行う歯磨きのようなものです。そのため、ハウスのテーマにおいて、ひらめきに基づいた行動を起こすようになります。

Pisces

## 火星 みずがめ座

『人は人。私は私。私は、私の道を行く』と、独特の持論を展開し、オンリーワンと思われるような行動を取るようになります。そのため、ハウスのテーマにおいて「私の持論としては〜」「普通は嫌ですね」と、周りがついていけないようなオリジナリティーを発揮するようになります。いわゆる、見るからにわかる変わり者ということです。

Aquarius

# どのような考え方で問題を解決していくのか

『哲学』の星といわれる木星。哲学と聞くと、「とても難しいものなのではないか？」という印象を受けませんか？　実際のところ、難しいです（現在、社会人大学生として心理学を専攻していますが、哲学の授業は眠くなりました）。なぜなら、1つのテーマに対して正解を出すのではなく、「私は、どう考えているのか？」と、答えを出すからです。

1＋1＝2というような、正解があるものではないため、眉間に皺を寄せて「あーでもない、こーでもない」と考えます。しかし、このプロセスを経て、人は考える力を育みます。ですので、星よみにおける木星の意味は、ハウスのテーマに問題が生じた時に、**『どのような考え方で問題を解決していくのか』**ということであり、木星についているサインの性格を活かして、問題を解決していくことになります。

もし仮に、『あなたが仕事に強いやりがいを感じる状態』を意味する10ハウスに木星おひつじ座が入っている場合。「私にとって、やりがいのある仕事ってなんだろう？」と、悩んでしまった時に、『思いつきでゴー！　行動第一』という性格を活かして、行動量に物をいわせて解決していくようになります。

## 木星 おひつじ座

『問題は「なんとかなるでしょ（笑）」と、楽天的に捉えて動いて解決』という傾向があります。そのため、ハウスのテーマにおいて、重大な問題が起こってしまった時でも、重たく考えずに持ち前のフットワークの軽さを活かして解決していきます。木星おひつじ座の解決の仕方には、深く考え過ぎない傾向が顕著に現れるようになります。

## 木星 おうし座

『問題は、根本となる原因を突き詰めて解決していく』という傾向があります。木星おうし座は、根っこにある原因を解決しないと、心のざわめきが治まらない生き物なのです。そのため、ハウスのテーマにおいて、重大な問題が起こってしまった時は、根っこにある原因を取り除くように時間を費やして解決していきます。

## 木星 ふたご座

『問題は、持っている知識を総動員して考え方を変えて解決する』という傾向があります。木星ふたご座は、とにかく物事を考える視点の数が多いのが特徴です。そのため、ハウスのテーマで重大な問題が起こった時に、「これって、こう考えれば良くない？」というスタンスで、いともかんたんに解決していくようになります。

## 木星 かに座

『問題は、絶対に気持ちを大事にして解決する』という傾向があります。少しわかりにくい表現かもしれませんが、木星かに座にとって「気持ち」とは、命と同じくらい大事なものです。そのため、ハウスのテーマで重大な問題が起こった時に、「まず、気持ちを落ち着かせよう。気持ちが落ち着けば、良い考えも出るよ」と、気持ちを落ち着かせてから、問題の解決に当たるようになります。

## 木星 しし座

『問題は、YES or NO！　どちらかに決めれば、シンプルに動けるようになって解決する』という傾向があります。そのため、ハウスのテーマにおいて重大な問題が起こった時に、その問題に対して取り組むか取り組まないかを判断し、今やるべきことに対して全身全霊で取り組むという、シンプルさが目立つようになります。

## 木星 おとめ座

『問題は、あの日、あの時、あの場所で……と、緻密に分析して解決する』という傾向があります。数ヶ月前の出来事でも、昨日のことのように思い出せる木星おとめ座さん。そのため、ハウスのテーマにおいて重大な問題が起こった時に、過去の出来事をきちんと整理、分析して的確なアプローチを取って解決するようになります。

## 木星 さそり座

Scorpio

『問題は、寝る間も惜しまず徹底的に掘り下げて解決する』という傾向があります。木星さそり座は、一度考え込み始めると、誰も立ち入れない精神と時の部屋に入室し、寝食忘れて本質的な解決策を見出すようになります。そのため、ハウスのテーマにおいて重大な問題が起こると、寝食を忘れ、問題解決に当たるようになります。

## 木星 てんびん座

Libra

『問題は、その道の専門家にアドバイスを仰いで解決する』という傾向があります。木星てんびん座が悩んだ時には、親密度よりも専門性で相談相手を選びます。そのため、ハウスのテーマで重大な問題が起こった時も、その道の専門家にアドバイスを仰ぎます。ただ、解決法をアレンジすることも多いので、「教えたことと全然違う！」と言われることも。

## 木星 やぎ座

Capricorn

『問題は、報連相を徹底して一緒に解決する』という傾向があります。「どうして、このような問題が起こったのか？」と、経緯を周りと共有し、取りこぼしがないように解決していきます。そのため、ハウスのテーマで重大な問題が起こっても、トラブルだと感じさせない安定感を発揮して、問題を解決していきます。

## 木星 いて座

Sagittarius

『問題は、理想の未来で塗り替えて解決する』という傾向があります。未来思考の天才、木星いて座にとって、過去に起こった問題はもはや問題ではありません。それよりも、その問題が気にならなくなるくらいの理想の未来を実現して塗り替えるため、ハウスのテーマで重大な問題が起きても、非常に楽観的です。

## 木星 うお座

Pisces

『問題は、コントロールできない部分は考えず、人事を尽くして解決する』という傾向があります。例えば、「受験に合格できるかな？」と考えても仕方ありません。それよりも、「どうすれば、合格できるようになるのか？」と、コントロールできる部分に注力した方が生産的です。そのため、常に最適解を出して的確なアプローチで解決していくようになります。

## 木星 みずがめ座

Aquarius

『問題は、感情論は二の次。論理的に考えて解決する』という傾向があります。木星みずがめ座にとって本当の問題は、感情に振り回されて問題の根本を見失うことです。そのため、ハウスのテーマにおいて重大な問題が起こった時、まるで、プログラムのように正確に考え、問題の根本を突き詰めて解決していきます。

# 苦手意識は感じるかもしれないけれど、コツコツ頑張って成長していく

　土星は、星よみの中では、「うっ……。土星ね……」と、微妙なリアクションを示されることが多い天体です。なぜなら、土星の意味は、『我慢』、『忍耐』、『苦手意識』など生きる上でなるべくお世話になりたくない言葉でまとめられているからです。

　しかし、土星の意味をどれだけ調べても、挫折という言葉は出てきません。確かに、土星とセットになっているサインの性格を使うことや、土星が入っているハウスのテーマに苦手意識を感じる方は多いです。しかし、苦手意識を感じている状態を別の視点で捉えると、強い興味関心を抱いている状態でもあるのです。「人前で話すのは苦手だけど、本当は、人前で話せるようになりたい……」というように、苦手意識を感じているからこそ、成長を望むようになり、土星とセットになっているサインの性格を活かして、成長をしていくのです。

　土星の本質的な意味は、『（ハウスの意味に）苦手意識は感じるかもしれないけれど、コツコツ頑張って成長していく』ということなのです。もし仮に、『グループとのつき合い方』を意味する11ハウスに土星やぎ座が入っている場合。グループとのつき合いに苦手意識を感じやすくなるかもしれないけれど、やぎ座の性格を活かしコツコツ取り組んで少しずつ成長していくという傾向が出るようになります。

## 土星 おひつじ座

Aries

『苦手意識を感じるかもしれないけど、誠心誠意自分の気持ちに正直に行動する』という傾向があります。土星おひつじ座は、『自分が何をしたいかは、自分が一番よくわかっている。他者の意見は関係ない』という性格です。そのため、ハウスのテーマにおいて、気持ちに嘘をつかずにコツコツ頑張っていきます。

## 土星 おうし座

Taurus

『苦手意識を感じるかもしれないけど、決して焦らず、心地良いペースをキープして行動する』という傾向があります。もし、理想の生き方を見つけていくことがテーマの5ハウスに、土星おうし座が住んでいる場合は、決して焦らずに心地良いペースをキープして、時間を掛けて理想の生き方を確立するようになるのです。

## 土星 ふたご座

Gemini

『苦手意識を感じるかもしれないけど、持てる知識を総動員してコツコツ取り組む』という傾向があります。歩く図書館の異名を取る土星ふたご座は、あらゆるジャンルの知識を持っています。そのため、ハウスのテーマに取り組むことに苦手意識を感じたとしても、「どうすればいいかな？」と、理知的に考えて取り組んでいきます。

## 土星 かに座

Cancer

『苦手意識を感じるかもしれないけど、結局はスポ根精神を活かして体当たりでコツコツ取り組む』という傾向があります。「かに座＝不安」といわれ、不安の代名詞になりがちなかに座ですが､実は、かなりのスポ根の持ち主です（笑）。そのため、ハウスのテーマにおいて、「イケる！」という気持ちで体当たりで挑む勇敢な姿勢が目立つようになります。

## 土星 しし座

Leo

『苦手意識を感じるかもしれないけど、「私は、本当に納得しているのかな？」と、気持ちを確かめながらコツコツ取り組む』という傾向があります。100人の意見より自分の納得感を大事にするしし座ですので、ハウスのテーマにおいて、納得しているのか、腹落ちをしているのかを確かめながら取り組むようになります。

## 土星 おとめ座

Virgo

『苦手意識を感じるかもしれないけど、締めるところは締めて､抜くところは抜いて、上手いこと調整しながらコツコツ頑張る』という傾向があります。オンはシビア、オフは床に落ちてヘソ天している猫のようなユルさの土星おとめ座ですので、ハウスのテーマに対して気負い過ぎず、抜くところは抜いて折り合いをつけながら頑張るようになります。

## 土星 さそり座

『苦手意識を感じるかもしれないけど、心の底から理解し合えるようにコツコツ頑張る』という傾向があります。そのため、ハウスのテーマの中で関わる人と、「本当はもっと深く繋がりたいけど、どこまで詰めていいのやら……」と、葛藤することも多くなりますが、結果的には、絶妙な距離感で深く繋がりを感じられる、"心繋がり力"を手にします。

Scorpio

## 土星 てんびん座

『苦手意識を感じるかもしれないけど、相手の話に耳を傾けて、相互理解を深めるためにコツコツ頑張る』という傾向があります。土星てんびん座は、とにかくコミュニケーションの仕方を臨機応変に調整します。そのため、ハウスのテーマの中で人との関わりに苦手意識を感じることもありますが、最終的には優れた傾聴力を発揮します。

Libra

## 土星 やぎ座

『苦手意識を感じるかもしれないけど、縁の下の力持ちになって、サポートできるような自分になるために、コツコツ頑張る』という傾向があります。そのため、土星やぎ座が住んでいるハウスにおいては、縁の下の力持ち気質を発揮しますが、やや苦手意識を感じやすくなります。しかし、最終的には、誰もが一目置くサポーターとして名を馳せることでしょう。

Capricorn

## 土星 いて座

『苦手意識を感じるかもしれないけど、自分の決めたビジョンを信じ、実現させるためにコツコツ頑張る』という傾向が出てきます。もし、友人や横の繋がりがテーマになっている11ハウスに、土星いて座が住んでいる場合は、『友人とどのように関わることが理想的なのか？』というテーマに対して、コツコツ取り組んでいくようになります。

Sagittarius

## 土星 うお座

『苦手意識を感じるかもしれないけど、「あなたの笑顔が私の笑顔」と、慈愛の気持ちを込めて、コツコツ頑張る』という傾向があります。そのため、ハウスのテーマにおいて、最初は自分が持っている優しい気持ちを出すことに抵抗を感じるものの、最終的には、お互いの笑顔や幸せを大切にしていることを、きちんと表現できるようになります。

Pisces

## 土星 みずがめ座

『苦手意識を感じるかもしれないけど、報連相を徹底して意思疎通を図り、平等な関係を構築するために、コツコツ頑張る』という傾向があります。そのため、ハウスのテーマにおいて、「いかに平等であるか？」という意識が強くなります。最終的には、どんな人とでも意思疎通が図れる卓越した能力を得ていきます。

Aquarius

# 天王星

## 不要なルールを変えていく方法

『革命』を表現すると言われる天王星。プロの目線で見れば、「そうだね」となりますが、初めて星よみを学ばれる方は、「どういう意味？」となるでしょうし、「革命という言葉を使って、どういうふうに鑑定すればいいの？」と、悩んでしまうと思います。まず、革命という言葉の意味を説明すると、これまで存在していたものを作り変えることです。

例えば、「会社で開催している月イチの飲み会には絶対に参加」とルールがあったとしましょう。このようなルールを革命星の天王星が見ると、「なんでそれが必要なの？　時代に合ってなくない？」と、チェックが入ります。そして、天王星とセットになっているサインの性格を活かして、不要なものは変えていくというわけです。

もし、『他人から信頼されるための話の聞き方』を意味する７ハウスに、天王星いて座が入っている場合は、相手の話を聞きながら「で？　結局、将来どうしたいの？」と、未来志向のいて座の性格を活かして話を聞くようになります。天王星を鑑定する際は**『（ハウスの意味）で、不要なルールを変えていく時は』**という言葉を追加して、サインの性格をテンプレに書き込んでいくことで、鑑定できます。

## 天王星 おうし座

『不要だと思うルールは、石橋を叩いて渡るように変えていく』という傾向があります。ハウスのテーマにおいて、「本当は、こういうしきたりいらないよね……」と思っていたとしても、いきなり行動に出ず、慎重な対応をします。しかし、この慎重さは、変化を嫌う人間にとって非常に心地良く、周りの反感を買うことなくスムーズにルールを変えていくことができます。

Taurus

## 天王星 おひつじ座

『不要だと思うルールは、背中を見せて変えていく』という傾向があります。天王星おひつじ座はリーダー気質といわれますが、むしろ、率先してリーダーを引き受けるわけではありません。思うがままに動いていたら、その勢いに釣られて皆が背中を追っかけてくるのです。そのため、ハウスのテーマにおける不要なルールは、背中を見せることで変えていきます。

Aries

## 天王星 かに座

『不要だと思うルールは、先の見通しがつけばガンガン進んで変えていく』という傾向があります。天王星かに座は、先の見通しがついた途端、全力でスタートダッシュを切ります。そのため、ハウスのテーマにおいても、見通しさえつけば、一切恐れることなく必要な改革をしていきます。

Cancer

## 天王星 ふたご座

『不要だと思うルールは、あらゆる知識をブレンドして、一番フィットする新ルールを作り出す』という傾向があります。新しい知識を得ることが好きな天王星ふたご座は、歩く図書館です。そのため、膨大な知識をブレンドして一番フィットする新ルールを作り出して不要なルールを変えます。しかし、周りのこともきちんと考えるため、身勝手な振る舞いはしません。

Gemini

## 天王星 おとめ座

『不要だと思うルールは、関係各所に確認を取りながら変えていく』という傾向があります。ですので、猪突猛進型で突破するようなことは、まず考えられません。ハウスのテーマにおいて不要なルールがあるなと感じた時は、周りがそのルールについてどのように感じているか、聞き取りをします。その上で、不要だと判断した場合は変えていくようになります。

Virgo

## 天王星 しし座

『不要だと思うルールに対しては、一切意見を曲げずに必ず変える』という傾向があります。そのため、ハウスのテーマにおいて、「これは、絶対にもういらないです」と信じた途端、テコでも動かない鋼鉄の意志を発揮します。また、天王星しし座は、理想を語ることで人を引き寄せるため、ファンや協力者が自然と集い、サポートが入るようになります。

Leo

## 天王星 さそり座

Scorpio

『不要だと思うルールは、根底から覆し、全く新しいものへと変えていく』という傾向があります。根底から覆すため、以前とは全く違うルールが生まれます。もし、『基本的な性格』を意味する1ハウスに、天王星さそり座が入っている場合は、「もう、この性格とは、おさらばだな」という部分を完全に手放し、全く新しい性格へと変わっていきます。

## 天王星 てんびん座

Libra

『不要だと思うルールは、人と連携を取りながら器用に立ち回って変えていく』という傾向があります。2つの受け皿を持つ天王星てんびん座は、絶対に、片寄った判断をすることはしません。そのため、ハウスのテーマにおいても、連携を取って意見を取り入れながら、アンバランスな状態にならないように気を配りつつ変えていくようになります。

## 天王星 やぎ座

Capricorn

『不要だと思うルールは、自分の指導者にきちんと確認を取って変える』という傾向があります。トップになるよりも、殿の懐刀的な立ち位置を好む天王星やぎ座には、必ず、指導者がいます。そのため、ハウスのテーマにおいて不要なルールを変える時は、トップや指導者に確認を取ったり、意見を擦り合わせてから徐々に変えていきます。

## 天王星 いて座

Sagittarius

『不要だと思うルールは、そこまで深く考えずに即変更！』という傾向があります。天王星いて座は、実際には全く考えていないわけではありませんが、やはり、思い立ったら未来へ向かってレッツゴーという気質が強くなります。そのため、ハウスのテーマにおいて不要なルールがあると感じた途端、「じゃあ、明日から変えましょうか」と、勢いのある改革をするようになります。

## 天王星 うお座

Pisces

『不要だと思うルールは、良い予感or悪い予感の直感に従って変えていく』という傾向が出てきます。インスピレーション力が非常に高い天王星うお座は、「〇〇の予感」という能力を使って、不要だと思うルールを変えていきます。根拠は、ほぼゼロに等しいことが多いのですが、結果的に功を奏することが多くなります。

## 天王星 みずがめ座

Aquarius

『不要だと思うルールは即変更。必要なルールはきちんと残す』という傾向があります。常識度外視の星座に思われがちな天王星みずがめ座ですが、本当は良識ある変わり者です。そのため、「確かに、このルールは不要だけど、まだ使える必要なものはあるよね」と、汲み取るべきところは汲み取り、新たなルールを生み出そうとします。

# 海王星

# 自分のこと以上に、相手を大切にする

『愛』の星といわれる、海王星。愛と一言で表しても、わかるようで実体の摑めない、定義が曖昧な言葉です。ですので、「じゃあ、愛という言葉は、鑑定をする時にはどう解釈すればいいの?」という疑問を解消しないことには、海王星を使った鑑定をすることはできません。

もし、あなたの目の前で、大切な人が倒れてしまったとしましょう。その瞬間、あなたは「助けたい」と頭で考えてから動くでしょうか。きっと、考えるよりも前に、反射的に体が動くはずです。このように、海王星が持っている愛という言葉は、**『自分のこと以上に、相手を大切にする』**という意味を持っています。

海王星が入っているハウスのテーマにおいて、『どうしたら良いのかわからずに困っている人を見つけた時は、サインの性格を活かして自分のこと以上に、相手を大切にする』というスタンスで関わるようになるのです。

もし仮に、『お金の稼ぎ方』を意味する2ハウスに海王星おとめ座が入っている場合。(お金の稼ぎ方)で、困っている人を見つけた時は、『飢えた人が自分で空腹を満たせるように、魚の釣り方を教えて自分のこと以上に、相手を大切にする』ように関わり、愛するようになります。

※海王星は移動スピードが遅いため、1つのサインに約14年滞在します。そのため、多くの読者に該当する、しし座～うお座のみ掲載しています。

♇

# 冥王星

## 人生大逆転をする起死回生の一手

冥王星は、『破壊と再生』と表現されます。しかし、これだけでは、冥王星を使った鑑定をすることはできません。破壊と再生という言葉の意味を説明していきますね。僕には7年間仕事の指導をして頂いている師匠がいるのですが、経歴がかなり極端。昔は、現在の奥さんのヒモだったのに、今はタワーマンションに

※冥王星は移動スピードが遅いため、1つのサインに約12～32年滞在します。そのため、多くの読者に該当する、しし座～みずがめ座のみ掲載しています。

Leo

海王星 しし座

『どんな時も肯定して、絶対的な味方になろうとして、相手を大切にする』という傾向があります。紙を張った金魚すくいの道具のように繊細なメンタルのしし座にとって、「ダメ」という言葉は、薄い紙がいともかんたんに破れるくらいつらい言葉です。そのため、否定されることのつらさを知っている海王星しし座は、ハウスのテーマで困っている人に対して絶対的な味方であろうとします。

Virgo

海王星 おとめ座

『「この人には、こんなに素晴らしいところがある」という部分を見つけて、相手を大切に育てていく』という傾向があります。そのため、ハウスのテーマの中で関わる人の素晴らしい性格や能力を把握して、愛でるように大切に育てていくようになります。養育の女神と言っても、過言ではありません。

Libra

海王星 てんびん座

『とことん相談に乗るものの、自分で考えて解決できる思考力と精神力を養い、自立できるように、相手を大切にする』という傾向があります。そのため、ハウスのテーマの中で関わる人が、いかに自立してくれるかを願い、相談に乗りながら最適な提案をするようになります。

Scorpio

海王星 さそり座

『関わる人が、心美に基づいて生きられるように、相手を大切にする』という傾向があります。海王星さそり座にとって、心美に基づいて生きるとは、心に素直に従い、本心に対して誠心誠意生きている状態を指します。そのため、ハウスのテーマにおいて、相手の心の世界を何よりも大事にするように関わっていきます。

Sagittarius

海王星 いて座

『相手にとって超理想的な未来を伝え、予測不可能な未来へ進むために必要な勇気を与える』という傾向があります。そのため、ハウスのテーマにおいて、「あっ、こういうことが起こるだろうな」という直感が当たる傾向が出てきます。ですが、これは他人がそうかんたんに真似できることではありませんので、海王星いて座が代わりに未来予知をして相手を勇気づけていきます。

Capricorn

海王星 やぎ座

『日の目を浴びない努力家に対して、物心全てを捧げるように大切にする』という傾向があります。責任感が強く、自分に課した課題は必ずやり遂げるのが、海王星やぎ座の性格です。そのため、日の当たらない努力家を見た時に、自分が体験してきた苦労と重ね合わせてしまい、物心ともに捧げるようにして相手を大切にしていきます。

Aquarius

海王星 みずがめ座

『相手の個性を尊重し、大切にする』という傾向が出てきます。ナンバーワンよりオンリーワン。普通は嫌。「変わってるね」は、褒め言葉の海王星みずがめ座。この強烈な個性から、ハウスのテーマにおいて、相手を尊重し、一人の人間としてフラットに関わり、大切にしていくようになります。

Pisces

海王星 うお座

『言うべきことはズバッと伝え、褒めるべきことはきちんと褒めて、飴と鞭を使い分けて、相手を大切にする』という傾向があります。真実の愛の、真愛。辛辣の愛の、辛愛を大切にするうお座が海王星とセットになると、人が言わないような相手の直すべき点もズバッと伝え、褒めるべきことは褒め、とてもわかりやすい形で相手を大切にするようになります。

住んでバリバリ稼いでいる愛妻家となりました。
冥王星の意味する破壊と再生というのも、かなり極端です。僕の師匠の人生と同じように、冥王星が滞在しているハウスのテーマにおいて、極端な体験をすることを暗示しています。「もう、八方塞がりでどうしようもない……」という状況で冥王星とセットになっているサインの性格を活かし、**『人生大逆転をする起死回生の一手』**を繰り出すのです。そして、劇的ビフォーアフターを遂げていくというわけです。
例えば、あなたの精神状態を意味する12ハウスに、冥王星さそり座が入っている場合。（ハウスのテーマ）において、八方塞がりになった時には、さそり座の性格である、『精神と時の部屋に入って徹底的に深掘りして原因を追求する』という性格を活かして、精神状態を回復させていくことになるのです。

**Leo 冥王星 しし座**

『八方塞がりになった時は、「私ならできる」と、自分を信じ、奮い立たせて解決する』という傾向があります。ハウスのテーマで八方塞がりになった時は、やや精神論押しになる可能性が出てきます。そして、問題を解決することによって、より強い自分軸を確立する劇的ビフォーアフターを遂げます。

**Virgo 冥王星 おとめ座**

『八方塞がりになった時は、原因と結果を徹底的に考察し、確実な一手を打って解決する』という傾向があります。そのため、八方塞がりになったハウスのテーマで巻き起こった問題を解決した後は、原因と結果を考察。劇的ビフォーアフターを体験し、「まぁ、大概のことはなんとかなる」と、根拠ある楽観性を身につけていきます。

**Libra 冥王星 てんびん座**

『八方塞がりになった時は、最も効率的な手段を考えて解決する』という傾向があります。そのため、八方塞がりの状態から脱した後は、どのような問題が発生しても、「こういう時は、こうすればいいんだよ」と、驚くほどの速さで、最も効率的な手段を考えられるようになります。平たく言えば、ハウスのテーマの問題解決コンサルタントへと成長していくイメージです。

**Scorpio 冥王星 さそり座**

『八方塞がりになった時は、精神力を全て体力に変換して徹底的に問題解決に当たる』という傾向があります。ハウスのテーマで八方塞がりになった時は、体力が尽きても精神力でカバーしていきますので、深夜3時、4時に寝るのは当たり前です。そのため、問題解決をした後は、気の緩みから、一気に体にガタが来るオマケつきになります。

**Sagittarius 冥王星 いて座**

『八方塞がりになった時は、常人離れした発想力を活かして解決する』という傾向があります。ですので、「どこから、そんな発想が出てくるの!?」と、驚くことが多々あります。また、極めてポジティブに解釈していくため、八方塞がりから脱すれば脱するほど、常人離れした発想力やポジティブシンキングを身につけていきます。

**Capricorn 冥王星 やぎ座**

『八方塞がりになった時は、臨機応変さ&大雑把さを活かして解決する』という傾向があります。冥王星やぎ座は、枠組みさえ決まっていれば、その場その場に合わせた対応をしていきます。きちんと計画をするものの、「まぁ、そこは適当で」といった大雑把さも持っているため、最終的には、臨機応変さと大雑把さを良い塩梅で活かせるようになっていきます。

**Aquarius 冥王星 みずがめ座**

『八方塞がりになった時は、独創的なアイディア力を発揮して解決する』という傾向があります。冥王星みずがめ座のアイディア力は、あまりにも独特過ぎるため理解することが難しくなります。ですが、かなり高い精度で分析した上でのアイディアであり、必ず根拠があります。そのため、八方塞がりから脱するほどに、アイデアの独創性に磨きがかかります。

*Column*

# マニアックな3つの天体

マニアックですが、知っていることでより具体的な鑑定ができるようになる3つの天体をご紹介します。

## ドラゴンヘッド
何が何でも実現したいと思うポイント

少し、スピリチュアルな表現になりますが、ドラゴンヘッドは、『今世におけるあなたの使命』だといわれています。もちろん、これだけだと、どうやって鑑定文を作ったらいいのかがわからないと思います。なぜなら、日常生活の中で、「あなたの今世における使命とは〜」という会話をすることは、そうそうないからです。

そのため、今世におけるあなたの使命という表現を、もっと噛み砕いて説明する必要があります。ドラゴンヘッドを使った鑑定をする時は、**『何が何でも実現したいと思うポイント』**と、表現するのがおすすめです。

もし、『自分の理想の生き方』を意味する5ハウスにドラゴンヘッドが入っている場合は、何が何でも、理想の生き方を実現したい……という傾向が出てきます。では、どのように実現していくのかというと、ドラゴンヘッドとセットになっているサインの性格を活かして実現していくのです。

余談ですが、使命感と似た言葉に責任感があります。一方で責任放棄という言葉はありますが、使命放棄という言葉はあまり聞かれません。このことからも、どうしてドラゴンヘッドが、何が何でも実現したくなるのか？　という部分を理解することができますね。

## ドラゴンテイル
人に喜ばれるために正しい形で使っていくべきこと

ドラゴンテイルは、『過去の執着』、『手放すべきパターン』と表現されますが、ドラゴンヘッドと同じように、「鑑定をするときに、どう表現すればいいのかな……」と、困ってしまいますよね。まず、執着という言葉ですが、執着するということは「本当は、○○が欲しかったけど、得られなかった」という気持ちがあるわけです。

しかし、見方を変えてみれば、それだけ全力でやったと、見ることもできます。全力でやったにもかかわらず欲しいものを獲得できなかったのは、単純に「やり方」が悪かったからです。例えば、包丁は使い方を間違えれば人を傷つける道具にもなりますし、正しく使えば、人を喜ばせる料理を作ることができます。

ドラゴンテイルとは、セットになっているサインの性格を、よろしくない使い方をしてしまう可能性が高くなるため、そのパターンは手放し、正しい形で使っていきましょうということなのです。

鑑定をする時は、**『（ハウスの意味）で（サインの性格）を、ネガティブな形で使ってしまっているかもしれないので、人に喜ばれるために正しい形で使っていきましょう』**と伝えると、伝わりやすくなります。

## カイロン

苦手意識を感じやすいけれど、ひたむきに取り組むことで助けられ、愛されること

カイロンは、『ヒーリングポイント』と表現されることがあります。あなたは、「自分は完璧な人間だ！」と、思いますか？　いきなりなんだよ！　と思うかもしれませんが、まず間違いなく、完璧な人間はいません。完璧ではないということは、苦手な部分があるということです。

しかし、苦手なことでも一生懸命頑張っている人を見た時、後ろ指を指そうという気になるでしょうか？　きっと、ならないですよね。カイロンとセットになっているサインの性格を活かすと、自分自身は苦手意識を感じやすくなります。でも、周りにいる人からは、「あの人、助けてあげたいな……」と思ってもらえます。自然とサポートも入るため、「完璧じゃなくてもいいんだ……」と、癒やされることで心の鎧が取れ、愛されていくようになります。

鑑定文を作る時は、**『（ハウスの意味）において、（サインの性格）を一生懸命発揮するものの、苦手意識を感じやすくなるかもしれません。ですが、そのひたむきさに心打たれた人から助けが入り、愛されるようになります』**と、作ると良いでしょう。

アスペクトとは?
ついに、『50の専門用語』の最終部門アスペクトに突入します!
アスペクトってすごく難しいんだよね?
あせあせ
少し複雑かもしれないね。ポイントをおさえれば使えるようになるから安心して
でも、もしアスペクトが覚えられなかったら、初めのうちは使わなくても大丈夫。
なぜなら、サイン、天体、ハウスだけでも鑑定はちゃんとできるから
サイン
ハウス
天体
どうして?
ホロスコープを見ると、青や赤の線が見えるよね?これがアスペクトなんだ
ココさんの結婚について鑑定するとして、7ハウスを見ると、金星さそり座と月うお座が線で結ばれているのがわかるかな?
アスペクトとは、天体○○座と天体○○座を繋いでいる線で、行動に与える変化といわれているんだ
トライン
天体00座
つなぐ線
天体00座
7ハウス
例えば
7ハウス金星さそり座だけを見ると、『どっぷりあなたと繋がれる結婚観』が出やすくなって、ちょっと粘っこい感じになる
でも月うお座とトラインで結ばれていることで、『離れていても、心で繋がっていれば大丈夫』という部分が出てくるから、結果的には、心が繋がっていれば、つかず離れずの結婚観の方が落ち着く……という変化が生まれるんだ
だから、アスペクトがわかると、より詳細な鑑定ができるんだよ
より自分のことがわかるってこと!?
すごい!!
メモメモ
それに、線がごちゃごちゃあって複雑に見えたけれど、占いたいテーマのハウスにある線にだけに注目すればいいんだね
そういうこと!!
1つの天体に複数のアスペクトがあったりするけれど、
使うのは1つか2つにしてね。全てを入れようとすると、情報量が多過ぎてわかりにくい鑑定になってしまうから
あと、ホロスコープ算出サイトはシステムで機械的に算出しているので、多少の誤差がある可能性もある。気になる場合は、いくつかのサイトで出してみるといいよ
私も頑張って使ってみる!

# アスペクトとは

Aspect

少しかたい表現になりますが、アスペクトとは、『行動に与える変化』です。ただ、この表現で進めてしまうと、「この人は、何を言っているんだろう……?」と、意味がわからなくなってしまいますので、例え話を入れていきますね。

いつも仲良しの親友と一緒に遊んでいたとしましょう。会ったばかりの時は、近況報告をして盛り上がるわけです。しかし、ひょんな一言をきっかけに、喧嘩をしてしまうこともありますよね。すると、さっきまでは、すごく良い雰囲気だったのに、一気に気まずい雰囲気になり、「今日はもう帰る」と言って、その日は喧嘩別れになってしまうかもしれません。

つまり、あなたという天体と親友という天体との間が、さっきまでの「私たち一生仲良しマブダチアスペクト」で結ばれている間は、近況報告で盛り上がれるのですが、「ひょんな一言で喧嘩になっちゃうアスペクト」で結ばれた途端、険悪な雰囲気に。つい売り言葉に買い言葉で喧嘩をしてしまうという変化が、アスペクトから与えられるということです。

※この後のＰ115から139にあるマーカー部分が、上級者テンプレで穴埋めするキーワードです。

トライン　角度120度
記号　△
アスペクトは、天体○○座と天体○○座を繋いでいる線。それがどう決まるかというと、それぞれの天体が配置されている角度なんだ
最初に解説するトラインの角度は120度だよ
その角度って覚えなくちゃダメ？
トライアングルだね～
無理に覚える必要はないけれど、
覚えておいて損はないかもね
チーン♪
本能
記号はどう？
ホロスコープ算出サイトによっては、アスペクトの一覧が記号で表記されている場合もあるから、覚えたほうがいいよ
△トライン マーク
いつも僕が使っている、「Astrodienst」などだとわかりやすいかも
ココさんの場合
金星さそり座と月うお座、
天王星さそり座と月うお座
こちらがトラインで結ばれているね
120°
トラインとは、ごくごく当たり前のように使えるようになるという意味なんだ。
日常生活の動作で例えると、トラインで結ばれている天体○○座と天体○○座の性格や能力を、まるで歯磨きをするように自然にやれちゃうということ
そんなことまでわかるなんてすごいね！

# ごくごく当たり前のように使えるようになる

トラインは、『**ごくごく当たり前のように使えるようになる**』という意味を持ちます。トラインを表す代表的なキーワードに、『調和』、『ストレスフリー』という言葉があります。この言葉を聞いた途端、星よみを学ばれる多くの方がつまずきます。ですので、「そもそも、調和やストレスフリーとはどういう状態なのか?」という部分を、明らかにする必要があるのです。

例えば、あなたが毎朝行っている歯磨きは、特に何も考えなくても当たり前のようにできるでしょうし、全くストレスを感じないはずです。なぜなら、あまりにもやり慣れている作業だからです。これが、トラインの意味する、調和、ストレスフリーの状態です。

トラインで結ばれている天体〇〇座同士の性格や能力を、特にストレスを感じることなく、ごくごく当たり前のように使うことができます。もし、月かに座と太陽さそり座がトラインで結ばれている場合は、『知らず知らずのうちに人の気持ちに共感する』月かに座の性格と、『心に刺さることだけに集中しながら人の気持ちに土足で踏み入らない』太陽さそり座の性格を、ごくごく当たり前のように使えるようになるということです。

セクスタイル 角度60度
記号 ✳
次はセクスタイルを説明しますね
おねがいしまーす!!
セクスタイル60度は
ワクワク感を抱きながら、積極的に使うことができるという意味があります♪
たらりらー
太陽いて座と冥王星てんびん座、海王星いて座と冥王星てんびん座
水星いて座と土星てんびん座
月うお座とAC(Asc)が
セクスタイルなのかな?
そうだよ、よくわかったね
セクスタイルの記号は✳だから、私の場合だと
パチパチ
えっへん
ところで、このACってのは何なの?
うれしい
?
AC
ACとはアセンダント(Ascendant)の略で、Ascとも表記されることもあるよ
ACの説明はP143を見てください
AC
Asc
はーーい!!
かなりわかってきて楽しい

# ワクワク感を抱きながら、積極的に使うことができる

セクスタイルは、**『ワクワク感を抱きながら、積極的に使うことができる』**という意味を持ちます。セクスタイルを表す代表的なキーワードに、『クリエイティブ』という言葉があります。クリエイティブとは、創造的な・創造力のある・独創的な……という意味です。

そして、創造的な状態にある人は、「こんなアイディアがひらめいたぞ!」「これはウケると思う!」と、頭の上にたくさんの電球マークが浮かんでいて、溢れ出るアイディアによって、ワクワクが止まらない状態なのです。

セクスタイルで結ばれている天体○○座同士の性格や能力を発揮すると、ワクワクした気持ちを感じやすくなり、積極的になります。もし、金星やぎ座と火星さそり座がセクスタイルで結ばれている場合は、『日の当たらない努力家のサポートをすることに喜びを感じる』金星やぎ座。『不器用でも、自分の心に嘘をつかずに一生懸命生きる人をトコトンお世話する』火星さそり座。この2つの能力を、ワクワクしながら積極的に使えるということです。

もし、2ハウス金星やぎ座と火星さそり座がセクスタイルで結ばれている場合。お金の稼ぎ方は、『日の目を浴びない～』という鑑定文の特徴が出てくるため、徹底的に人のサポートをすることで、お金を稼げるようになるでしょう。

セミ・セクスタイル 角度30度
記号 ⊻
次に解説するのは、セミ・セクスタイルだね
さっきのセクスタイルと名前が似ているね
セクスタイル 60°
セミ・セクスタイル 30°
セミ＝半分さ
セミ・セクスタイルには、お互いの長所と短所を補いながら取り組んでいくという意味があるよ
なるほど！
ココさんの場合は
太陽いて座と金星さそり座、金星さそり座と冥王星てんびん座がセミ・セクスタイルで結ばれているね
ちなみに、太陽いて座と金星さそり座が、セミ・セクスタイルの場合は、『パパッと動いちゃう』太陽いて座と、『じっくり掘り下げることに楽しみを感じる』金星さそり座が、お互いの長所と短所を補いながら、ハウスのテーマについて取り組む……という鑑定になるね
そうなんだ！ 確かに、そういうところあるかも！
大吉
AC
MC
あれ、こっちのホロスコープにはセミ・セクスタイルの線が書かれているのに、私が見ているものにはない！
初心者向けのホロスコープ算出サイトには、メインのアスペクトの線が書かれていない場合もあるよ
アスペクトを使いこなすなら……
ASTRO
上級者向けサイト（P15参照）を使ったほうがいいかもしれないね

# 互いの長所と短所を補い合いながら取り組んでいく

セミ・セクスタイルは、『**互いの長所と短所を補い合いながら取り組んでいく**』という意味を持ちます。まず、セミ・セクスタイルで結ばれている天体○○座のサインの性格は、少し方向性が違います。

例えば、金星うお座と木星おひつじ座がセミ・セクスタイルで結ばれている場合について考えてみましょう。まず、うお座は『直感で動く』性格です。一方、おひつじ座は『勘で動きます』。直感と勘は似たような意味に思われがちですが、直感とは、考察や推論に頼らず感覚的に判断すること。勘ではある程度の経験があり、経験をベースに判断することがあります。このように、意味は異なります。

うお座は感覚的に判断することが長所ですが、考察や推論に関しては、よく調べた上で判断するというおひつじ座の長所があると、互いの長所と短所を補うことができるのです。金星うお座と木星おひつじ座の場合は、『直感的に判断することに楽しみを感じるものの、やや考えが足りなくなる』金星うお座。『直感ありきではなく、ある程度の経験をベースに考えて判断する』木星おひつじ座の、互いの長所と短所を補い合いながら取り組んでいくという鑑定文になります。

スクエア 角度90度
記号□
次は何？
次はスクエアだよ
私のホロスコープには、たくさんスクエアがある！
スクエアには、悩みが多くなるものの、結びつき合う天体○○座の性質を活かして、ハウスの意味に生じた問題を解決していくという意味があるんだ
AC
MC
ココさんは太陽いて座8ハウスと月うお座11ハウスがスクエアだから、8ハウスの特別に親しみを感じている人と2人でいる時や、11ハウスのコミュニティーという場において悩むことが多くなるんだ
11ハウス
8ハウス
90°
アスペクトを使った鑑定のほうが問題の解決の仕方がより具体的になる感じがするね
そうでしょ！
トライン△
セクスタイル
セミ・セクスタイル
問題が発生してしまった時に、太陽いて座と月うお座の性質を使って解決するという意味
いて座は額面通りに伝えるから、気持ちのケアが足りなくなることもうお座は、相手の気持ちを何より大事にするから、言葉が出るまで時間が掛かる
このズレに、ココさんが悩むんじゃないかな
確かに！！
慣れないとわかりづらいかもしれないけれど、テンプレを使って、落ち着いて鑑定すれば誰でも使えるようになるから、みんなにチャレンジしてほしいな

# 悩みが多くなるものの、ハウスの意味に生じた問題を解決していく

スクエアは、**『悩みが多くなるものの、（ハウスの意味）に生じた問題を解決していく』**という意味を持ちます。まず、「どうして、スクエアは悩みが多くなるの？」という疑問から、解消していきましょう。スクエアで結ばれている天体〇〇座のサインの性格は、互いの性質がかなり違います。

例えば、土星かに座と太陽てんびん座がスクエアだった場合。何か行動を起こすにあたり、土星かに座は、気持ちが決まればイケイケモードをキープしますが、太陽てんびん座は、頭で考えたプランが大体まとまったところで、行動に移していきます。このように行動に移すきっかけが「気持ち」なのか「頭で考えたプラン」なのかという違いがあるため、サインの性質の違いを扱いにくくなり、悩みが生じるのです。

ここで終わってしまうと、「私もスクエアを持っているから、悩みが多くなるのかな……」と、不安になると思いますが、ご安心ください。スクエアの本質的な意味は、悩みから抜け出して成長することです。人には、不快の状態から抜け出し、快の状態になろうとする心の働きがあります。今回でいえば、土星かに座と太陽てんびん座を上手く扱えずに悩むことはあるけれど、その状態から抜け出して成長することで、最終的には土星かに座と太陽てんびん座を上手に扱えるようになります。

セミ・スクエア 角度45度
記号∠
続いて、セミ・スクエアだね！
あ、またセミだ！
ということは、スクエアの半分の45度ってことね
そういうこと！ココさんだいぶアスペクトに慣れてきたんじゃない？
45°
6
5
5°
目盛りの数
私の場合は、金星さそり座と土星てんびん座がセミ・スクエアで結ばれているんでしょ
うふ♡
ピンポーン！そして、セミ・スクエアには、プレッシャーを感じたら、互いの性格を活かしてはね除けていくという意味があるよ
AC
MC
ホロスコープを見ると、ハウスとサインのスペースの間に短い目盛りがあるのがわかるかな？
1目盛り約5度だから、誤差も入れて8から10目盛り分隔てて結びついている天体〇〇座と天体〇〇座がセミ・スクエアということです
わかりづらかったら、この表を見たら間違いないよ
僕はハウスの広さを「持ち角度」って呼んでいるんだけど、これまでの経験上、持ち角度が広いハウスは、その人が興味を抱きやすい分野だったりすることが多いんだ
12
広い
6
へえ、面白い！
ところでハウスの広さも気になる
12と6が広いのは？
12
6
だから、持ち角度を見るだけでも鑑定できるよ
アスペクト一覧表から、∠マークを探せばOK。難しく考えなくてもいいよ！

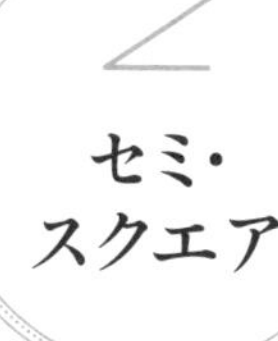

## セミ・スクエア

# プレッシャーを感じたら、互いの性格を活かしてはね除けていく

セミ・スクエアは、**『プレッシャーを感じたら、互いの性格を活かしてはね除けていく』**という意味です。まず、「セミ」という言葉を和訳すると「半」や「準」という言葉になります。スクエアと似たような意味を持つアスペクトですが、全く同じということではありません。

スクエアは、『悩みが多くなるものの、天体○○座を使うことで状況を打破して成長していきますよ』とお伝えしました。セミ・スクエアは、その手前をイメージして頂くとわかりやすくなります。例えば、成績を上げたいと思った生徒が、塾に通ったとします。ですが、塾には、ものすごく勉強ができる生徒もいます。「本当に、ついていけるかな?」と、プレッシャーを感じるようになるでしょう。

ここで、セミ・スクエアの登場です。もし、太陽かに座と金星おとめ座がセミ・スクエアで結ばれていた場合。『プレッシャーを感じたら、自分の気持ちをケアしながら生きる』太陽かに座。『自分の長所と短所を適切に把握して、試行錯誤しながら改善するのが楽しくなる』金星おとめ座。互いの性格を活かしてはね除けていくという傾向が出てきます。

コンジャンクション 角度0度
記号 ☌
次はコンジャンクション！
角度が0度だね
そうなんだ。コンジャンクションは「合」といわれていて、天体○○座同士が重なっていたり、すぐ横にピッタリくっついている関係
恋人同士でギュッとハグをしているような感じかな
そんな感じで、天体○○座のお互いの性格を活かすことで悪くも良くもなるから、要注意なところもある
私の一覧表を見ると、
私は太陽いて座と海王星いて座、太陽いて座と水星いて座などがコンジャンクションね
でも、ホロスコープを見ると、太陽いて座と水星いて座は隣同士ではないけれど、コンジャンクションなの？
間に海王星があるから疑問を抱くよね
コンジャンクションの角度は、0度と設定されているものの、オーブといって、「これくらいの誤差までは、このアスペクトとして認めていますよ」というルールがあるんだ。
だから、こういう現象が起こることもあるのさ。
でも基本的に、一覧に書いてあることを信じれば大丈夫だよ

# 互いの性格を活かすことで、悪くもなるし良くもなるから注意しよう

**『互いの性格を活かすことで、悪くもなるし良くもなるから注意しよう』**という意味を持ちます。コンジャンクションは、人体と天体がピッタリくっついているという状態です。では、ピッタリ重なっていることで、どのような影響があるのでしょうか？

例えば、甲子園球児が試合前に円陣を組んで、「絶対勝つぞ！」と叫ぶのは、絶対に勝てるというセルフイメージを植えつけ、ポテンシャルを引き出せるようにしているのです。しかし、「絶対に負けるぞ！」と叫んだ場合（絶対、叫ばないと思いますが）、きっと、負けちゃいますよね。

コンジャンクションは、『お互いの性格を活かすことで、悪くもなるし良くもなるから注意しよう』という意味になるのです。もし、天王星やぎ座と海王星やぎ座がコンジャンクションの場合は、『日の目を見ない努力家を限界までサポートする』天王星やぎ座。『衣食住に困っている人がいたら愛するように面倒を見る』海王星やぎ座。互いの性格を活かすことで、悪くもなるし良くもなるから要注意というふうになります。

人を占う時には、「どのように悪くor良くなるのか？」という部分に、具体例や、日常生活あるあるネタを入れることで、情景が思い浮かびやすくなり、喜ばれる鑑定表現に仕上げることができます。

オポジション 角度180度
記号 ☍
アスペクトの解説も、もう7つ目 ココさん、ついてこられているかい？
次はオポジションだよ
ふう…な、なんとか…
180度だよね
そう！
オポジション180度は、アスペクトの中で最も大きい角度。一番長い線がオポジションと考えて間違いないよ
180°
AC
AC
MC
ただ、ココさんの場合、
ACおうし座と天王星いて座、同じくACおうし座と金星さそり座がオポジションで結ばれているけど、天体〇〇座同士が結ばれているオポジションはないんだよね
そんなこともあるの？
あるある。
オポジションは、どちらを使えばいいの？ と葛藤するけれど、ケースバイケースでそれぞれの天体〇〇座の性質を活かしていくという意味なんだ
ココさんは、ACおうし座と天王星いて座のどっちを使えばいいのかと葛藤するけれど、ケースバイケースで使っている可能性が高いかな
そのとおり
ゆれる気持ち…
天王星 いて座
悩んでいる時間もったいない
AC
ACおうし座
自分のペース優先

# どちらを使えばいいのか葛藤するけれど、ケースバイケースで活かしていく

オポジションは、**『どちらを使えばいいのか葛藤するけれど、ケースバイケースで活かしていく』**という意味を持ちます。葛藤とは、板挟み状態です。例えば、「仕事を辞めたいけど、次の仕事が決まるかわからないから、辞められない……」というふうに、板挟みになり、アクションを起こしにくい状態です。

ですが、ヘッドハンティングの話がきたら、即鞍替えするかもしれませんし、「今は時期じゃない」と、ぐっと堪えるかもしれません。もしくは、武器を持たずに戦国乱世に飛び込むように、ツテがない状態で仕事を辞める可能性もあります。いずれにせよ、極端な行動を取ることがあるため、オポジションが入っているハウスのテーマにおいて、大きな成果を上げることがあります。

もし、天王星いて座と月かに座がオポジションの場合は、『危険だと知っていても限界まで行動する』天王星いて座。『危険に敏感で安心感で満たされる』と動ける月かに座。この、どちらを選んだら良いのか？と、葛藤するけれど、ケースバイケースで活かしていくとなります。

インコンジャンクト 角度150度
記号 ⚻
じゃあ次は、インコンジャンクトだよ
はーい！
まだまだ頑張るよ！150度だね
11ハウス
150°
6ハウス
インコンジャンクトは
結ばれた天体〇〇座の互いの性格を活かし、決して諦めることなくやり抜くため、やや体育会系の傾向が出てくるという意味です
AC
MC
ココさんの場合は、月うお座と冥王星てんびん座がインコンジャンクトですね
ということは
月うお座の『知らず知らずのうちに人の気持ちを瞬間的に察知する』特性と、冥王星てんびん座の『八方塞がりになった時は、最も効率的な手段を考えて解決する』という特性を活かして、決して諦めることなくやり抜くってこと？
そうそう、アスペクトを使いこなせるようになってきたね！
わーい!!
インコンジャンクトは…
・諦めない
・徹底的にやる
・やや体育会系
スポーツ根性が出るという言葉を入れても面白いかもしれないね

# 互いの性格を活かしながら諦めることなくやり抜き、やや体育会系の傾向が出てくる

**『互いの性格を活かしながら諦めることなくやり抜き、やや体育会系の傾向が出てくる』**という意味を持ちます。そのため、インコンジャンクトで結ばれている天体〇〇座を活かし、決して諦めずに取り組むようになります。

一方で、ハウスのテーマにおいて、成果を出すために頑張り過ぎて、体調やメンタルを崩すこともあります。例えば、「もう、その職場は辞めればいいのに……」と言われているのに、「3年はやるって決めたから……」となってしまう感じです。しかし、その分、求めている成果を得られる継続力が身についていきます。

もし、水星みずがめ座と月おとめ座がインコンジャンクトで結ばれている時は、『無駄なアプローチがないかを考えて的確なアプローチをする』水星みずがめ座と、『つい、いろいろなことが気になってしまう』月おとめ座のお互いの性格を活かし、決して諦めずにやり抜き、やや体育会系の傾向が出てくるというようになります。

ただ、これだけだと、不安でいっぱいになりますので、『頑張り過ぎは禁物ですが、最終的には求めている成果を得られる継続力が身についていきますよ』と添えて、鑑定文を仕上げてください。

セスキコードレート 角度135度
記号
次は
セスキコードレートだね
そう、
アスペクトの解説も後半戦だから、頑張って
セスキコードレートは…
・強い不安や困難を感じやすい
・頑張りようによって大きな成果を期待できる
ここをおさえてね
ココさんは、ACおうし座と木星てんびん座、同じくACおうし座と土星てんびん座がセスキコードレートの関係だね
AC
MC
1
5
135°
AC
AC○○座と結びつくとどうなるの？
ACの説明と穴埋めキーワードはP143を見てね
P143
木星てんびん座
・問題があればその道の専門家にアドバイスをもらい解決していく
ACおうし座
・一番心地良いペース配分で進む
1ハウス
12ハウス
5ハウス
ペタ
ペタ
ふせん
なるほど
これらの特性を活かしながら、強い不安や困難を感じるけれど、頑張った分、大きな成果を出せるんだよ

# 強い不安や困難を感じやすいものの、頑張りようによっては大きな成果を期待できる

ハウスのテーマにおいて、**『強い不安や困難を感じやすいものの、頑張りようによっては大きな成果を期待できる』**という意味があります。このことから、ハウスのテーマに取り組む時に、強い不安や困難を感じやすくなりますが、ネガティブな意味ではありません。少しわかりやすくお伝えすると、スポーツ選手が陥るスランプのようなものです。

例えば、「最近、思うような結果が出ない……。でも、周りの選手はどんどん結果を出して行く……」「来季の契約はないのではないか……」と、強い不安を感じることもあるでしょう。しかし、ここで腐らずに試行錯誤していくことで、やがてスランプから抜け出し、以前よりも大きな結果を出すことができます。

もし、10ハウス土星てんびん座と2ハウス火星みずがめ座が、セスキコードレートで結ばれていた場合。『やりがいを感じる仕事を見つけること（10ハウス）』『お金を稼ぐこと（2ハウス）』において、強い不安や困難を感じやすくなるものの、『その道の専門家からアドバイスを仰いでコツコツ頑張る』土星てんびん座。『自分を客観視して、得意不得意を分析した上で積極的に動く』火星みずがめ座。この2つを活かすことで、頑張りようによっては大きな成果を残すことができると、読むことができます。

クインタイル 角度72度
記号 Q
ここではクインタイルについて説明するね
キンタイルとも呼ぶこともあるよ
今までのアスペクトは、90度や45度とかキリがいい数字だったのに、急に72度なの!?
本当だよね
よしよし なでなで
クインタイルは…
周りが見えなくなるほど熱中する
独創性を発揮して大きな結果を出す
ははは
これ覚えてね
あれ?
Asc
72°
72°
AC
MC
アスペクト一覧を見ると、私の場合は土星てんびん座と海王星いて座、冥王星てんびん座とドラゴンヘッドしし座がクインタイルの関係みたいだけれど、ホロスコープには線がない!
おっ! よく気づいたね!
実は、クインタイル以外にも、線が表示されないアスペクトがあって、プロの占星術師さんでも、使わない方がいるくらいなんだよ
良し悪しの話じゃなくて、個人のスタンスのお話だね!
まあ
クインタイルの使い方を覚えてしまえば、一目置かれる高度な鑑定ができるってこと!
ワー!! うれしい

# 周りが見えなくなるほど独創性を発揮して、大きな結果を出すことができる

**『周りが見えなくなるほどの独創性を発揮して、大きな結果を出すことができる』**という意味を持ちます。「独創性」「大きな結果」を具体的に表現すると、歌声で大勢のファンを魅了しているミュージシャンのようなものです。

クインタイルで結ばれた天体○○座を使うことで、あなたも、クインタイルが入っているハウスのテーマにおいて、同じような結果を出すことができます。

例えば、8ハウス土星おとめ座と10ハウス水星いて座がクインタイルで結ばれている場合。『一人の人と深い関係を築く場面（8ハウス）』『やりがいを感じる仕事（10ハウス）』において、『失敗した原因を丁寧に分析してコツコツ試行錯誤をしていく』土星おとめ座。『理想の未来を語り、言葉で人を引っ張っていく』水星いて座。この2つを活かすと、周りが見えなくなるほどの独創性を発揮し、大きな結果を出すことができると、読むことができます。

また、鑑定に慣れてきたら、「土星おとめ座と水星いて座がブレンドされた時の独創性は何だろう？　そして、ハウスのテーマで得られる大きな結果とは何か？」と想像して、鑑定文を添えてもいいでしょう。

バイ・クインタイル 角度144度
記号 bQ
次は
バイ・クインタイル、
別名
バイ・キンタイルだよ
144度って
バイ・クインタイルも
微妙な角度だね
刻むなぁ…
そうなんだよ。
これは目測だと
間違えやすいから、
アスペクト一覧で
チェックした方がいいよ！
私の場合、
木星てんびん座と
土星てんびん座が
カギが逆さまになった
ようなマークの天体と
バイ・クインタイルで
結ばれているみたい
Asc
144°
bQ bQ
AC
MC
この記号はカイロン。
カイロンの説明は、P111を見てね
P111
この天体同士を
活かすと……
バイ・クインタイルは…
・アンチさんも増殖！
大ファンさんも超増殖!!
・超独特な世界観を打ち出す
・他の誰もが真似できない結果を出す！
入っているハウスにおいて、
天才的なレベルで
天体○○座の性格や特性が
活かせるようになって、
周りの度肝を抜くような
結果を作ることが
できるんだ！
天才的に!?
わーい!!

bQ

## バイ・クインタイル（バイ・キンタイル）

# 互いの性格を活かすと、アンチも大ファンも増殖！ 独特な世界観で誰も真似できない結果を出す

**『互いの性格を活かすと、アンチも大ファンも増殖！ 独特な世界観で誰も真似できない結果を出す』**という意味を持ちます。ズバリ、バイ・クインタイルで結ばれている天体〇〇座を、天才レベルで活かせるようになります。

ですので、バイ・クインタイルが入っているハウスのテーマにおいて、他の誰もが真似できない結果を出して、当然の如く脚光を浴びるようになります。例えば、興行収入第1位の映画のレビューを見ると、褒めている人は大勢いますが、手厳しい意見を書いている人もいますよね。それと同じようにアンチさんも増殖！ 大ファンも超増殖！ ということになるのです。

4ハウス金星かに座と9ハウス海王星いて座が、バイ・クインタイルで結ばれている場合。『理想の家族観（4ハウス）』では、誰もがうらやむ超理想の家族を作れるようになり、『難しい問題を解決していく方法（9ハウス）』においては、誰もがあっと驚くような方法を見つけるとなります。その実現に必要になるのが、『気持ちを交流させることにワクワクする』金星かに座。『全力で人のためを想ってサービス精神全開で行動する』海王星いて座を使うということです。

クインデチレ 角度165度
記号 Qd
次は
クインデチレなのですが、ちょっと癖のあるアスペクトなんだよね
ええ!? ちょっとどゆこと!?
いつも見ているホロスコープ
一覧を見ても、記号Qdがないでしょ。ホロスコープにも線は表示されないし
Qdがないよ。
じゃあ、どうやって見つけたらいいの!?
大丈夫、大丈夫♪
ホロスコープを出すサイトによって、表示されるものもあるからね。クインデチレを見る時は、「ARI占星学総合研究所」というサイトはおすすめだよ
アスペクト
クインデチレは…
・ハウスの意味にあるこだわりを形にするため天体○○座のお互いの性格を活かして実現していく
書いてくよー
太陽
月
水星
金星
火星
木星
Qd
ココさんの場合は、
5ハウス木星てんびん座と11ハウス月うお座がクインデチレだから、
11 ハウス
165°
5 ハウス
5ハウスの『理想の生き方を見つける』と、11ハウスの『コミュニティー作り』に対して、何らかのこだわりを持っている可能性が高いね
キラーーン
そして、その何らかのこだわりを形にするために、木星てんびん座と月うお座を使っていくんだ
ただ、こだわりが強くて心身のバランスを崩してしまうという意味もあるから、やり過ぎは厳禁だよ
確かに…
は・はーーい

# こだわりを形にするために、互いの性格を活かして実現していく

**『（ハウスの意味）におけるこだわりを形にするために、互いの性格を活かして実現していく』**という意味を持ちます。クインデチレが入っているハウスのテーマにおいて、強いこだわりを持つようになります。例えば、『自分の将来について考える』という意味を持つ9ハウスの場合は、自分の将来に対して強いこだわりを持つようになるのです。

では、こだわりをどのように実現させていくのか？　その答えが、クインデチレで結ばれている天体〇〇座を使うことです。もし、冥王星てんびん座と金星おひつじ座が結ばれている場合は、『周りの意見を徹底的に取り入れ、我流にしていく』冥王星てんびん座。『「行くぞオラァ！」と、勢いに任せてガンガン進むことに楽しみを感じる』金星おひつじ座。この2つを使って、ハウスのテーマにおけるこだわりを形にしていきます。

また、クインデチレは、『病気』という意味も持っています。そのため、クインデチレが入っているハウスは、『ハウスのテーマに対するこだわりが強くなってしまい、やり過ぎによって体調やメンタルを壊してしまう可能性がありますので、身体と気持ちを大事にされると良いですよ』と、鑑定することもできます。

ノーアスペクト
記号なし
ついに!!
ついに一番最後のノーアスペクトまできたよ!
わーい やっと最後だ!
ビール開けてしまおか…
しかもビンだぜ
ん、ちょっと待て……。ノーアスペクトって、読んで字の如く、アスペクトがないってことなの?
そう! ノーアスペクトは1つの天体に対して、どこの天体ともアスペクトが結ばれず、一人ぼっちでポツンっといる状態。家電を買ったけれど、コンセントを繋いでいない状態をイメージするとわかりやすいかも
ある方のホロスコープだよ
ドラゴンヘッド
No♥
AC
MC
No♥
見て見て
ドラゴンヘッドのところ、横も下も、どこにもアスペクトが入ってないよね! これがノーアスペクト
本当だ、何もない!
さっきの場合
2ハウス
ノーアスペクトの天体○○座が入っているハウスでは暴走もしくは停止といった極端な傾向が出やすく、意図しない極端な結果が生まれる可能性があるんだ
2ハウス お金
さっき話した家電で例えると、突然の誤動作で動き出して、周りを困惑させちゃう感じ。
ご飯炊けてる!?
うそやん!?
ただ、僕の経験上、100人に1人くらいのレアケースだから、滅多に使わないけどね
これで13のアスペクト解説は終わりです!
ありがとうございました!
パーン

## ノーアスペクト

# 互いの性格が暴走や停止と極端な傾向が出るため、意図しない極端な結果が生まれる

ノーアスペクトは、非常に珍しいアスペクトです。なぜなら、ホロスコープに表示されている10個以上ある天体の内、1つの天体が、他のどの天体ともアスペクトを結んでいないからです。以前、ノーアスペクトを持っている人の割合を調べるために過去の鑑定を振り返ってみたところ、驚きの、100人中1人という結果になりました。

ノーアスペクトは、**『互いの性格が暴走や停止と極端な傾向が出るため、意図しない極端な結果が生まれる』**という意味を持ちます。ノーアスペクトの天体○○座が入っているハウスにおいて、まるで、機械の誤動作のようにその天体○○座の特性が出て、意図せず動いてしまうため、本人がコントロールして望む結果を出すことは難しくなります。

ですが、安心してください。ホロスコープを鑑定し、トリセツを明らかにすれば、「今、ノーアスペクト出てる?」と、予兆を感じて回避したり、周りの人の協力を得て、少しでも良い方向に進めていくこともできます。

ですので、ノーアスペクトの天体○○座が入っているハウスにおいては、一人で頑張ろうとしないことが鍵です。世界は思っている以上に優しいものですので、どんどん他力を借りていきましょう!

*Column*

# 共感を呼ぶ 占い表現

いきなりの質問で恐縮ですが、「占い師に求めることといえば？」と、聞かれた時に、あなたは何を思い浮かべるでしょうか。きっと、「すごい！　当たってる！　どうして、私のことがわかるんですか!?」と、このような反応を引き出してくれることではないでしょうか。

実は、今回ご紹介する2つの「心理の仕組み」と2つの「共感を呼ぶ占い表現」を覚えるだけで、あなたが初めて星よみを学ばれる方だったとしても、鑑定をした時に、あっという間にプロの占い師と同じように、「当たってる！」「どうして、私のことがわかるんですか!?」という反応をもらえるようになります。

## 自分のことをさしていると感じる「バーナム効果」

まず、1つ目の心理の仕組みは、心理学に出てくる「バーナム効果」です。バーナム効果とは、「ほとんどの人に当てはまることを言われているのに、まるで、自分のことを指していると感じてしまう」現象のこと。例えば、「仕事、もしくは、家庭において悩みはありませんか？」と、質問されたら、ほとんどの人に当てはまるはずです。

やや、胡散臭く感じてしまうかもしれませんが、占ってもらう人の心理になれば、最初の段階で、「この人の言っていることは、心当たりがあるな……」と、思えなければ、それから先にどのようなことを言われても、受け取りにくくなります。そのため、バーナム効果は、共感を呼ぶ表現をする上で、とても大切なのです。

## 都合の良い情報だけを集めようとする「確証バイアス」

そして、占いを受ける人は、「現在抱えている悩みに対し、自分にとって都合の良い情報を集め、そうでない情報は集めない」という癖があります。これが、2

つ目の心理の仕組みに当たる「確証バイアス」と呼ばれるものです。

例えば、友だちから、「彼氏から連絡が来ない……。どういうことだと思う?」と、相談を受けたとしましょう。ここであなたが、「もう、気がないんじゃない?」と言ったところ、友だちが、「そんなことない!」と、怒ってしまうことってありますよね。これは、あなたが伝えたことが、友だちにとって都合の良い情報ではなかったからです。

今の例え話はネガティブなケースでしたが、要は、ポジティブな内容で、都合の良い情報であれば、呼吸をするように受け取ってもらえるということです。すると、「この人の占いは当たる!」と、思ってもらえるのです。

どのような表現をするのかが鍵になります。それが、次に紹介する共感を呼ぶ占い表現に繋がる、2つの表現方法「ポジティブ&共感を入れた表現」「疑問符で締める表現」です。

## 文章の印象を肯定的に変える「リフレーミング」

まず1つ目の、「ポジティブ&共感を入れた表現」について例文を書いてみましょう。

「細かいといわれがちなおとめ座さん。【バーナム効果の文章】実は、細かいのではなくて、丁寧なんですよね。【ポジティブ】だから、細かいって言わんといて欲しいよね!【共感】」

と、このように伝えると、細かいといわれることに心当たりがあり、細かいのではなく丁寧なんだよと思っているおとめ座は嬉しい気持ちになり、「当たってる!」と、なるわけです。

表現するときのコツは、「短所といわれる部分が、もし、○○座の長所になるとしたら?」と、捉え方を変えた上で、肯定的な文章にすることです。ちなみに、捉え方を変えるだけで印象が変わるテクニックを、「リフレーミング」といいます。

## 文章を提案型に変える「疑問符」

そして、2つ目の「疑問符で締める表現」についてです。都合の良い情報も嬉しいものですが、断定的な表現ばかりが続くと、不快に思ってしまう人もいます。どれだけ都合の良い情報でも、受け取ってもらえないこともあります。

この状態をケアするために、文章の最後に「?」をつけることをおすすめします。なぜなら、「占い師として客観的に見るとこのような鑑定になりますが、あなたはいかがでしょうか?」と、提案をしている状態となるため、とても受け入れやすくなるからです。

1度でも受け取ってもらえると、「もしかしたら、そういう一面もあるかもしれないな……」と、自分のことを指しているように感じます。さらに、ポジティブ&共感を入れた表現になっていることで「当たっている!」という反応を引き出せます。

# ACの解説

Column

P8の生まれた時間の予測や、P116の漫画でも登場するAC（アセンダント）。Ascとも表記されることがあります。

ACは、『絶対に揺るがない、魂レベルで大切にしている価値観』です。生まれた瞬間に東の空に昇っていたサインであるといわれているため、生まれたての無垢な魂に、最も強い影響を与えています。太陽星座がいて座、ACさそり座の場合は、「いてっぽいんだけど、なんかさそり味が濃い……」という状態になることがあります。

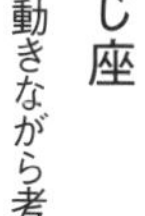

AC おひつじ座
「一時停止？　動きながら考える」という価値観を大切にします。

AC おうし座
「私が一番心地良いペース配分で」という価値観を大切にします。

AC ふたご座
「人とはつかず離れずの距離感で」という価値観を大切にします。

AC かに座
「身内に手を出したら許さない」という価値観を大切にします。

AC しし座
「私は私。人は人だからいいの」という価値観を大切にします。

AC おとめ座
「共感もしたいし、理解もしたい」という価値観を大切にします。

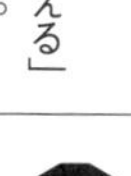

AC てんびん座
「大体、大体で大丈夫だからさ（笑）」という価値観を大切にします。

AC さそり座
「覚悟を決めれば何でもできるわ」という価値観を大切にします。

AC いて座
「常に自由でありたい、永遠の18歳」という価値観を大切にします。

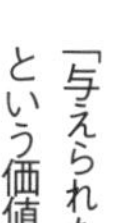
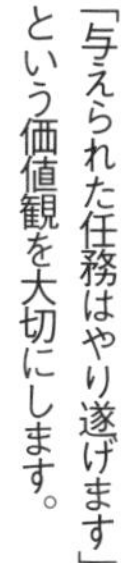

AC やぎ座
「与えられた任務はやり遂げます」という価値観を大切にします。

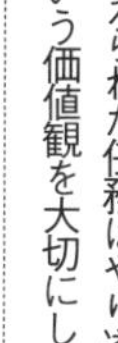
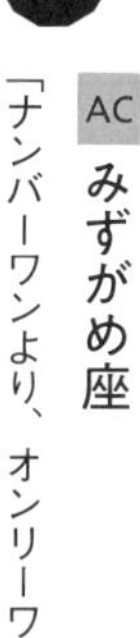

AC みずがめ座
「ナンバーワンより、オンリーワン」という価値観を大切にします。

AC うお座
「心の赴くままに、直感で生きる」という価値観を大切にします。

第1部まとめ
まずは一杯!!
おつかれー!!
だいき式の星よみ、どうでした?
呑んでる…
今まで勉強してきたものよりもするするっと頭に入ってくる感じがしたよ
この本で学んだことを自分のものにして、星よみができるようになるにはどうしたらいいのかな?
□は…○○座□で…
穴埋め式鑑定テンプレを活用して、自分のことだけじゃなく、周りの人たちも鑑定していくといいよ
テレビに出ている芸能人を鑑定してもいいの?
TV
うん……芸能人でもいいけれど、俳優さんは演技をしているから、「この役は、何座さんかな?」という視点でアタリをつけるといいかな。おすすめは、YouTuber観察!誕生日もネットで調べれば出てくるしね
鑑定していく中で、各星座さんの特徴でひらめくものがあれば、ネタ帳にメモしたり、ブログに書いていくといいよ
ネタ帳!? 芸人さんみたいで面白い!
あとは、飲食店に行った時に、店員さんの立ち居振る舞い、発言、雰囲気を見て
何座かなって予想するとてもいい勉強になるよ
でも、それって答え合わせが大変じゃない?
僕の経験上、帰り際に「星占いを勉強しているんだけど、何座か教えてもらえますか?」って聞けば、ほとんどの場合は怪しまれずに教えてもらえるよ
なるべくたくさんの人を鑑定することが重要なんだね
その通り!楽しんで鑑定してみてね!
第2部では、僕が11のシーンを太陽星座と月星座で鑑定します

# 第2部

# シーン別に 太陽星座と月星座で 鑑定する

太陽星座は「あるある！」と、自他ともに認めるあなたらしさ、
月星座は知らない間に出ているあなたの性格や心の動きを意味しています。
ホロスコープでは太陽は☉、月は☽と表記され、
P15に記載されている方法で算出できます。

# 私をネガティブにすることとは？
# そのことへの対処法は？

## 太陽 おうし座

**My感覚に正直でいたいの……**

「頑固とか融通が利かないんじゃなくて、自分の感覚に正直にいたいだけ」。これが、太陽おうし座の基本スタンスです。ただ、感覚を腹落ちさせるまで、けっこう時間が掛かります。レスポンスまでに要する時間が長い部分だけを切り取られて、「頑固だねぇ」と言われると、秒でおうし座牧場という名の心を閉じます。

## 太陽 おひつじ座

**満足しちゃったから、もういいの！**

昨日までは熱中していたのに、翌日になった途端、「満足したから方向転換する」というのが、基本スタンスです。この状態を飽き性という人もいますが、飽き性といわれると「わかってないなぁ〜。飽き性じゃなくて、自分の中でやり切ったから、次にやりたいことを見つけただけなんだよ……」と、ストレスを感じます。

## 太陽 かに座

**ながら作業の適当共感は、イライラMAX**

自分の感情を蔑ろにされると、非常にストレスを感じます。感情とは、喜怒哀楽の全てを指しています。そのため、楽しいこと、喜ばしいこと、悲しいこと、怒っていることによって生まれている感情に対して、スマホをいじりながら適当に相槌を打たれると、「大事にしてくれてない」と、ストレスを感じます。

## 太陽 ふたご座

**「なぜわからんのだ……」がストレス**

喜ばれる言葉選びの貴公子の、太陽ふたご座。人に合わせたワードチョイスを当たり前のようにできるため、人との意思疎通がとてもスムーズです。そのため、自分が説明したことに対して、「うぅ〜ん。どうゆうこと？　わかんない」と言われると、「なんでわからんの？」と、ストレスを感じることがあります。

## 太陽 おとめ座

**お願いします。乙女心を察してください**

太陽おとめ座ワールドのキーワード、「何でもいいよ」に対して、「あなたは、こういうふうにしたいとか、自分の軸とかないの？」というようなことを言われると、穏やかキャラのおとめ座のストレスゲージが、一気に振り切れます。なぜなら、「何でもいいよ」は、「あなたと一緒なら、何でもいいよ」という意味だからです。

## 太陽 しし座

**純度100％の裏意図ゼロでお願いします**

告白する時は「好き！　それ以外に何か言葉が必要かい？」の、太陽しし座。そのため、表現は、『ド』が1億個つくレベルでストレートです。ですので、回りくどい言い方をされたり、裏の意図を感じるような関わり方をされると、ストレスゲージが急上昇。ただ、一生懸命言葉を選んで一言が出ない人には、ストレスを感じません。

## 太陽 さそり座

**心の禁足地に立ち入ったら……**

太陽さそり座が信仰している「推し」への冒瀆は、絶対に厳禁です。一気にストレス値がMAXになります。こんなことをすれば、「あなたが、推しの何を知ってるの？具体的に言ってみて」と、超細かい調査が入り、徹底的に詰められます。なぜなら、さそり座にとって「推し」とは、心を癒やしてくれる大切な存在だからです。

## 太陽 てんびん座

**キミに私の趣味がわかってたまるかぃ！**

家のことをきっちりやった上で、趣味を満喫して一時的にでも柵から解放されたい太陽てんびん座。そのため、「家のこともちゃんと考えて行動してくださいね」とか「ソレ（趣味）やって、どうするの？」と言われると、めちゃめちゃストレスを感じ、滅多に見せない塩対応モードに突入します。要は、放し飼いが吉です。

## 太陽 やぎ座

**成すべきことを成せないと、ベコベコに凹む**

自分の決めたことを守れないと、非常にストレスを感じます。例えば、「会社員を辞めて独立した3ヶ月後、会社員時代と同じくらい収入を得られていることが目標」と、決めたとしましょう。そして、決めたことが思うように進まず、思うような成果が挙がらない場合は、自分への苛立ちから、ガクッと生産性が落ちることがあります。

## 太陽 いて座

**Myスケジュール、ズラさんといて**

「1日24時間、全部私のタイミングで使いたい！」これは、太陽いて座のモットーです。そのため、「今日は、朝10時にメールの返信をして、12時にランチを食べて……」と、朝決めたタイムスケジュールをズラされると、すんごい機嫌が悪くなります（笑）。ただ、自分の機嫌は自分で取れますので、15分仮眠したら忘れていることも。

## 太陽 うお座

**For You マインドの冒瀆厳禁**

愛情への邪推をされると、ストレス値がMAXになります。太陽うお座が持っているFor You精神は、純粋にその人へ向けられた愛情表現なのです。もしこれが、異性に対して向けられた場合に、「〇〇さんのこと、好きなんでしょ？　だからでしょ？」と言われると、表面的には笑顔でも、心は般若のような形相になっています。



## 太陽 みずがめ座

**あー、キミは何歳なんだい？**

感情に振り回されて身勝手な行動をされると、非常に強いストレスを感じます。例えば、グループでやり取りができる連絡網があったとします。「あの人のこういうところが嫌いだから」と、小学生のような言い分を残して無言で退会……というようなことです。「人としておかしくない？」と、内心で呟いています。

# 私をネガティブにすることとは？
# そのことへの対処法は？

## 月 おうし座

Taurus

### 極論、楽しければそれでOK！

シンプルに、楽しくないことをしているとネガティブになります（笑）。ただ、こういうふうに言うと、「それって、他の人も同じなのでは？」と、思われるのですが……。月おうし座の凹み具合は、他の月星座の比ではありません。「もう、いいや」と、一言呟いて、心中鎖国モードに突入し、外界との関わりを全てシャットアウトします。

## 月 おひつじ座

Aries

### 暇ー。退屈ー。無理ー。

目を爛々と光らせるくらい興味津々&夢中になれるものがなくなると、ネガティブになります。ただ、ネガティブという言葉よりも、「退屈」という表現が正しいかもしれません。月おひつじ座は、無意識のうちに夢中になれるものを求めます。ですので、心を燃やしてくれる薪になるものがあれば、すぐに元気になります。

## 月 かに座

Cancer

### 「嫌い」じゃなくて「好き」だと言って……

恋愛に限らず、好きな人からの塩対応は、一瞬でネガティブになります。また、月かに座は、「嫌い」という言葉に対して非常に敏感に反応します。そして、「嫌い」と言われると、「どうせあの人なんて……」と、心から存在を消そうとしますが、優しい対応をされるとコロッとポジティブになります。大きな子ども……という感じです（笑）。

## 月 ふたご座

Gemini

### 会話のキャッチボールが必要

話を聞いてもらえないと、ネガティブになります。月は「心が求めているもの」という意味もありますので、言葉のキャッチボールができない状態は、無機質な壁に向かって一人ぼっちで延々とボールを投げていることと同じなのです。そのため、きちんと話を聞いてもらえないことは、ネガティブの原因になってしまいます。

## 月 おとめ座

Virgo

### 答えを出す＝<br>ジグソーパズルの完成に掛かる時間

「優柔不断」と言われると、ネガティブになって心を閉ざします。月おとめ座は、優柔不断ではありません。例えば、1000ピースのジグソーパズルを作る時は、「これでいいのかな……？」と、形を確認してからピースをはめますよね？　この状態と一緒で、適切な答えを探しているだけなのです。そのため、「優柔不断」は超禁止ワードです。

## 月 しし座

Leo

### ダメはダメ。褒めてください

ダメ出しをされると、秒でネガティブになります。月しし座は、金魚すくいのぽいの紙メンタルと言い換えても過言ではないくらい、とにかく繊細です。そのため、「ダメ」は、絶対に禁句。また、良かれと思って、「そんなことで凹むあなたじゃないでしょ」と言っても、「そんなことって何？」と、額面通りに受け止め、ネガティブが加速します。

## 月 さそり座

Scorpio

### 踏み込む前に、確認してね？

心のセーフティーゾーンに土足で入られると、一発でネガティブになります。さらに、土足で踏みこんだ相手には一発レッドカードを出し、今後一切関わろうとしません。ですが、「気になることがあるんだけど、聞いてもいい？」と確認されて、OKを出した場合は、ネガティブになることは、そうありません。

## 月 てんびん座

Libra

### 1日だけでいいから、好きにさせて

仕事一辺倒で趣味に費やす時間がなくなると、枯れゆく観葉植物のように萎れて、ネガティブになります。仕事3割、趣味7割くらいの感覚が最も心地良い月てんびん座にとって、仕事一辺倒はとにかくつらいのです。そのため、月てんびん座の人が身近にいる場合は、「明日、朝から遊んでおいでよ」と、サポートする必要があります。

## 月 やぎ座

Capricorn

### 収穫寸前の田んぼを荒らされるようなもの

大切に育ててきた人や環境が乱されると、一気にネガティブになります。なぜなら、頑張り屋さんを徹底的にサポートする月やぎ座にとって、人や、そこに用意した環境が乱されることは、これまでのプロセスを全て失うことと同じ意味を持つからです。月やぎ座の人がネガティブになると、極端に眠りが浅くなります。

## 月 いて座

Sagittarius

### 場所、時間、行動への干渉はムリなの

全てにおける束縛が、ネガティブの源泉です(笑)。「どこ行くの？」「何時に戻るの？」「今何してるの？」と、たとえこれらの言葉が、ただの確認であったとしても、NGです。「聞かれなくても帰るから放っておいてよ」というスタンスの月いて座は、干渉されたくないのです。そのため、いかに月いて座に自由にしてもらうかがポイントです。

## 月 うお座

Pisces

### 「許すね」は、そうじゃないことも

不可思議なことを思わず口走った時、あれこれ説明を求められたり、「何それ」と、一蹴されると、ネガティブになります。また、月うお座は「愛の星」といわれますが、その時は許していても、後日思い出してイライラが再燃する、「許すは保留」という一面もあります。ですので、実は、超、根に持っていることも(笑)。

## 月 みずがめ座

Aquarius

### 意外と、孤独を感じてるんです

意見を汲み取られずに、自分側の意見に理解を示されないと、ネガティブになります。ネガティブというよりも、「誰にも理解してもらえないか……」と、孤独感に近いかもしれません。ですが、理解を示されなくても、膝と膝を突き合わせて、「お互いが求めているものが違うだけ」と確認できた場合は、ネガティブになりません。

# 自己肯定感を上げる方法は?

## 太陽 おうし座

Taurus

### 小さな一歩で着実に自信アップ

「これなら、できそうかな……」と、成功が約束されている小さな変化を起こすことが大事です。石橋を叩いて渡る系の太陽おうし座にとって、現在の自分の能力と掛け離れたことをやるのは、石橋を叩かないで渡るのと同じことです。そのため、成功が約束されていることを着実にこなすことで、自己肯定感が上がります。

## 太陽 おひつじ座

Aries

### 作戦命令:ガンガン行こうぜ!

「行くぞオラァァ!」と、切り込み隊長気質を活かして、ガンガン行動することが大事です。出張で福岡へ行った時、立ち寄った居酒屋に太陽おひつじ座の店員さんがいましたが、「人手が足りない時でも、やるしかないんです!」と、豪語していました。ですので、とにかく行動をして結果を出すことで自己肯定感が上がります。

## 太陽 かに座

Cancer

### 感謝の気持ちで自己肯定感アップ

「ありがとう」を言われると、自分の存在価値を感じて自己肯定感が上がります。ですが、大袈裟なことをする必要はありません。学生時代に、隣の子が床に落とした消しゴムを拾ってあげたら、「ありがとう」と言われた経験はありませんか? このように、ミニマムな行動でもいいですので、少しずつ始めましょう。

## 太陽 ふたご座

Gemini

### 5の自信を、10の自信に変えられる天才

考え方を変えるだけで、自己肯定感が上がる器用な星座です。お友だちに相談している時に、「それって、こう考えたら良くない?」と言われて、ハッとした経験をお持ちではないでしょうか? このように、考え方を変えるだけで、問題が問題ではなくなるような感覚になるため、考え方のストックを増やすことが大事です。

## 太陽 おとめ座

Virgo

### 「あなたのおかげ」で、自己肯定感爆上がり

人の役に立つことで、自己肯定感が上がります。ですが、役に立つといわれても、どのように役に立てばいいのかがわからないですよね? 太陽おとめ座は、相手の個性に合わせた指導をする能力が極めて高いため、適切な指導を行った後に「あなたのおかげ」と言われると、役に立てた実感を得て、自己肯定感が上がります。

## 太陽 しし座

Leo

### 己との誓いを守ればそれだけでOK

シンプルに、自分との約束を守ることが肝です。例えば、「明日からダイエットを始めよう」と思ったものの、いつもと変わらず甘い物を食べてしまった……。このような状態は、自分との約束を守れていないため、どんどん自己肯定感が下がります。シンプルに自分との約束を守れば、自動的に自己肯定感が上がります。

## 太陽 さそり座

### 腹落ちすれば万事OK

太陽さそり座にとって「自己肯定感」という言葉は、馴染みにくいような気がします。なぜなら、「私の心が大丈夫だと言っている」と、心がYESと言えば、一瞬でエネルギーがMAXになるからです。そのため、心がYESと腹落ちするための心深掘りタイムを取ることが、自己肯定感アップの鍵になります。

Scorpio

## 太陽 てんびん座

### 「えっ？　こんなことで喜んでくれるの？」

自分の好きなことで相手が喜んでくれると、自己肯定感が上がります。太陽てんびん座は、キャリア、バランス感覚等と、ややかたい言葉で表現されますが、とても物腰が柔らかく楽しいことに対して従順です。そのため、趣味であってもかなり高レベルであることが多く、手作りの品などを贈って喜ばれると自己肯定感が上がります。

Libra

## 太陽 やぎ座

### 巣立つ雛鳥を見守る母鳥のよう

たとえ見返りがなくても、弱っている人の力になること。もしくは、「この人は、こんなところでくすぶっている人じゃない！」と感じた人の力になれることが大事です。そして、力を貸した人が巣立っていくさまを見て、心の中で涙を流しながら、「私でも役に立てるんだな……」と、しみじみと自己肯定感がアップします。

Capricorn

## 太陽 いて座

### 失敗？　成功して塗り替えればいいだけさ

過去の失敗を、成功体験で塗り替えることで、自己肯定感がアップします。「失敗は成功のもと」という言葉がありますが、まさに、このパターンです。そして、神社で大吉を引いた瞬間に「今年の俺はツイてる」と動き出すようなフットワークの軽さを活かして、成功を掴み取り、自己肯定感を上げていきます。

Sagittarius

## 太陽 うお座

### 気ままさと賢さとぽよよんさと

直感ありきの生き物と思われがちな太陽うお座ですが、実は、めちゃめちゃ頭がキレます。そのため、「自己肯定感を上げるために必要な最適解は何か？」と、徹底的に深掘りし、答えが見つかれば、「まぁ、気ままにやるさー」と、空中に浮かぶシャボン玉のように自然と行動を起こし、確実に自己肯定感を上げていきます。

Pisces

## 太陽 みずがめ座

### 発言と行動が一致していればOK

ズバリ、思いと言動の一致。これだけで自己肯定感が上がります。例えば、「2023年7月末にホロスコープの鑑定ができるようになる。そのために、今日から〇〇をする」と、決めたとしましょう。そして、それらに対して、行動がイコールになっていれば、結果が出ていなくても自己肯定感が上がっていきます。

Aquarius

# 自己肯定感を上げる方法は?

## 月 おうし座

### バリカタのカップ麺を食べるのは無理です

心がしっくりくるまで、じっくりコトコト煮込む中で、自己肯定感を上げる鍵を見つけていきます。ただ、「大丈夫だよ！　できるよ！」と言っても、月おうし座にとっては3分で完成するカップラーメンを1分で食べろと言われているようなものです。そのため、とにかく時間を費やして、自己肯定感を上げる鍵を見つけていきます。

## 月 おひつじ座

### 静かに、自分の心と対話する

熱血野郎に見られがちな、月おひつじ座。確かに、尽きることのないエネルギッシュさを持っています。ですが、本気で悩んでいる時は、静かに心へ問い掛けます。そこで、確信を得るような答えを掴むと、持ち前の行動力を発揮して自己肯定感をアップしていくのです。最初は静かに、最終的には普段通りという感じです。

## 月 かに座

### お願いします。<br>気持ちの整理をさせてください

一旦、自分の気持ちを整理してから、スポーツマン根性を発揮し、行動ゴリ押しで自己肯定感を上げていきます。月かに座は感情の起伏が激しいため、一瞬で気持ちがアップダウンします。しかし、一旦気持ちが整理できると、本来持っているスポ根を活かして、やり遂げ、自己肯定感を上げていきます。

## 月 ふたご座

### 心に溜まった言葉をアウトプットすべし

人と話す中で気づきを得て、自己肯定感を上げていきます。人とは不思議なもので、話を聞いてもらうことで、自分が何を思っているのかに気づいていく生き物です。そのため、心の中に溜まっている言葉を全て吐き出すと、心に空いたスペースに気づきが生まれ、自己肯定感が自然と上がっていくのです。

## 月 おとめ座

### ちょっとでいいから察して欲しい……

「HELP！」と言おうとしても、「みんな大変だしな……」と思ってなかなか助けを言い出せないため、月おとめ座は自分一人で抱え込みがちになります。ですが、少し表現を変え、「少しだけ、相談に乗ってくれると助かる」と、やんわりニュアンスで助けを求めてみて。話を聞いてもらう中で答えを見つけ、自己肯定感をアップさせます。

## 月 しし座

### ゴーイングマイウェイ

自分のやりたいことに正直に生きていると実感することで、自己肯定感がアップします。100人の意見より私の納得感を大事にする月しし座にとって、「私のやりたくないこと」をやるのは、生きる権利を他人に使われているのと同じようなものなのです。そのため、自己肯定感アップの方法は、自分の心に正直になることです。

## 月 さそり座

### 絶対に、他の人には言わないでね？　いい？

「秘密厳守！　絶対に私の相談が外部にもれない、私とあなただけのお話会」の中で、自己肯定感がアップします。普段から、「こんなことを話したら迷惑かな……」と、遠慮しがちな月さそり座ですが、サシの場では、心の闇を一気に話し出します。そして、話を聞いてもらうことで答えを掴み取り、自己肯定感がアップします。

Scorpio

## 月 てんびん座

### 心配しないで。すぐに解決できるから

困った時は、友だちや身内に心配を掛けたくないという意図で、その道の専門家に相談する月てんびん座。そのため、「自己肯定感を上げるためにはどうしたら良いのか？」という問いに対しては、プロの目線でアドバイスをくれる人に相談することで、一発で解決します。ただ、教わったことを、すぐに我流にする癖もありますので少し注意しましょう。

Libra

## 月 やぎ座

### 求めるは具体的な改善点

客観的なフィードバックをしてくれる人がいると、自己肯定感がアップします。月やぎ座は責任感の強さから、人に助けを求められない甘え下手なところがあります。そのため、周りが「こうしたら良いのでは？」と、フィードバックをしてくれることで、具体的な改善点が見つかり、自己肯定感をアップできます。

Capricorn

## 月 いて座

### ギネス記録級の自由人なので

「好きにやらせてくれれば、それでいい」。これが、自己肯定感アップ術です。お察しのことと思いますが、干渉、アドバイス、指示、これらは全て不要。また、月いて座は、何も考えていないと思われがちですが、1日24時間オープンのコンビニ状態で考えごとをしています。楽観度も高いので、自己肯定感を上げるのは朝飯前です。

Sagittarius

## 月 うお座

### 秒で凹んで、秒で回復

「1分前はベコベコに凹んでいたけど、なんか元気になった！」と、とにかく不思議な性質を持っていますので、自己肯定感を意識的に上げるというよりも、ふとした瞬間に答えがひらめいて、自動的に自己肯定感がアップします。また、人に感謝されることによって、わかりやすく自己肯定感が上がるケースもあります。

Pisces

## 月 みずがめ座

### 修正するより、やり直した方が早くね？

人生ちゃぶ台返しをして、リスタートする癖を持っています。そのため、自己肯定感が下がっている時は、「最初からやり直そう」と、若干笑みを浮かべながら、まっさらな状態で新たな一歩を踏み出します。ですので、常人には理解できない極端なアプローチで自己肯定感をアップさせていくようになります。かなり変わり者かもしれません（笑）。

Aquarius

# 私のやる気スイッチはどこにあるの？

## 太陽 おうし座

### 鳥肌が立つことが鍵

「鳥肌感動物語」を実感できると、やる気スイッチが入ります。きっとあなたも、感動するような出来事を目の当たりにした時、鳥肌が立った経験があるはずです。太陽おうし座は、体感でやる気があるかどうかを判断するため、全身を支配する「鳥肌」は、非常にわかりやすいサイン。鳥肌が立つこと、これが鍵です。

## 太陽 おひつじ座

### 背中は任せた！　俺は、先へ行く！

「満足するまでやっておいで！　背中は守るからね！」と、応援や見守りをされると、瞬間的にやる気スイッチが入ります。ガンガン先へ進みたい太陽おひつじ座にとって、応援や見守りはとても心強いのです。どんな時でも応援してくれ、足元が疎かになりやすい部分をカバーしてくれることに嬉しさを感じるのです。

## 太陽 かに座

### 感謝の言葉で体力無限モード

「ありがとう」の一言だけで、やる気スイッチが入ります（ただし、ちゃんと気持ちが入っていることが大前提です）。ただ、「ありがとう」と言われることが嬉し過ぎて、もっともっと応えたくなってしまい、スタミナ度外視で超献身的になることもあります。その点、少しだけ注意が必要です。

## 太陽 ふたご座

### 面白さこそ、やる気スイッチの証

アドレナリンがドバドバと出るくらい知的好奇心を刺激されると、やる気スイッチが入ります。知的好奇心と表現するとちょっとかたくなってしまいますが、かんたんに言うと、ユーモアに富んでいて「何これ面白い」というリアクションが生まれることです。そのため、新しい情報や知識に触れることが大切になります。

## 太陽 おとめ座

### 力になれている実感があるだけで……

「あなたのおかげだよ。ありがとうね」の一言でやる気スイッチが入ります。「ありがとう」の部分は、太陽かに座と似ていますが、太陽おとめ座にとっては、「あなたのおかげ」という言葉が重要です。この一言があるだけで、力になれた実感や求められた嬉しさを感じることができ、どんどんやる気になります。

## 太陽 しし座

### ついてきてくれる人が必要です

自分のビジョンに共感してついてきてくれる人がいると、めちゃめちゃやる気になります。「私は、世界一の占星術師になるんだ！　なぜなら〜」と、語ったことに対して、「最高！」「絶対できるよ！」「ついていきます！」と、賛同者や支援者がいると、驚くほどの行動力と影響力を発揮することがあります。

Taurus Aries Cancer Gemini Virgo Leo

## 太陽 さそり座



### 土壇場こそ太陽さそり座の生きる道

大失敗をして絶望をしている時に、土壇場やる気スイッチが入ります。太陽さそり座は、「もう、無理かもしれん……」と、感じれば感じるほど、どんどんエネルギッシュになります。そのため、誰かから何かを与えられるといった外発的動機づけではなく、「私が、やると決めたから」と、内発的動機づけで奮起する特異なスイッチを持っています。

## 太陽 てんびん座



### 笑顔の時間を共有できれば元気になる

大切にしている人たちと、笑顔の時間を共有できるプランを立てていると、やる気スイッチが入ります。4人以上のつき合いは避けたい太陽てんびん座ですが、大切な人の場合は話が違います。あらゆるサプライズを考え、笑い合える時間を過ごすことを妄想すると、みるみるエネルギッシュに。人のため、を意識することが重要です。

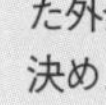

## 太陽 やぎ座



### この子……。ええなぁ……。

「絶対、この人は成長する！」と、見込みある人を見つけると、やる気スイッチが入ります。太陽やぎ座の育成能力にかかれば、無名の選手を誰もが知る有名選手にすることも可能です（そのため、個人的な思い入れも強くなります）。見込みのある人を育てて、作り上げた実績を共に分かち合えると、やる気スイッチが倍々に増えていきます。

## 太陽 いて座



### 絶対に叶えたい夢があれば、それだけでいい

「成し遂げたい夢のために！」と、財産、時間等、持っているリソースを全て費やしてでも成し遂げたいことが見つかると、誰にも止められないじゃじゃ馬やる気スイッチが入ります。もし、夢を描くのが苦手なら、今のあなたにとって理想のモデルになる人を見つけると、成し遂げたい夢が見つかりやすくなります。

## 太陽 うお座



### へこたれない人、大好物です♡

「指導を受けて3ヶ月経つけど、なかなか成果が上がらない。でも、諦めない！」と、一生懸命トライする人と関わると、やる気スイッチが入ります。愛の星といわれるうお座ですが、意外とガテン系根性で、相手にかなり辛辣な言葉を掛けたりします。しかし、それでもついてきてくれる人と関わるとやる気がみなぎるのです。

## 太陽 みずがめ座



### 尻上がりに調子が良くなる

わからなかったことが、点と点から線として繋がると、やる気スイッチが入ります。スロースターターの太陽みずがめ座が講座を受けると、講師が言ったことの意図を徹底的に考えます。そのため、点があちこちに散らばりやすくなり、線で繋がるまでに3ヶ月は掛かります。でも、ある日突然に線として繋がると手応えを感じてやる気スイッチが入ります。

# 私のやる気スイッチはどこにあるの?

## 月 おうし座

### 安定するまで時間が掛かるんです

焦らず、マイペースでやる気スイッチをオンにします。そのため、瞬間的にオンになることはほとんどありません。口に入れたご飯をゆっくり咀嚼して味わうように、心に違和感がないかどうかを確認してから、やる気スイッチを入れるのです。しかし、プロセスを大切にする分、一度スイッチが入ればオン状態をキープし続けることができます。

## 月 おひつじ座

### カーブはいらない。真っ直ぐでいい

感覚的な表現になりますが、心に真っ直ぐに生きられている状態を実感できれば、自動的にやる気スイッチが入ります。どんな時も、自分の気持ちに正直な月おひつじ座にとって、心に真っ直ぐ生きることは、非常に重要です。そのため、違和感を覚えているものを心の部屋から全て取り除くことで、常にやる気スイッチがオン状態になります。

## 月 かに座

### 不安の整理整頓ができれば、万事OK

心にある不安を取り除くことで、やる気スイッチが入ります。月かに座は、未来を先読みして不安を感じてしまうため、「〇〇をやったらどうなっちゃうのかな……」と、まだ起こっていないことに対して不安のドツボにハマります。そのため、心にある不安を丁寧に解消することで、やる気スイッチが入るのです。

## 月 ふたご座

### 上辺だけの「わかる〜」は、やめてください……

脳みそ100%で理解してくれる人から、「月ふたご座のキミは、〇〇のように考えているんだね」と、きちんと理解を示されることで、やる気スイッチがオンになります。そのため、ぜんっぜんわかっていないのに、「わかる〜」と言われると、ベッコベコに凹みます。どれだけ、しっかり理解してくれる人がいるのかが大切です。

## 月 おとめ座

### 愚痴&相談を見極めてくださいナ……

愚痴を言っている時には、共感。相談をしている時には、理解。この2つが叶うと、心が安心感で満たされて、「ちょっと頑張ってみようかな」という形で、やる気スイッチがオンになります。そのため、月おとめ座は、心と頭の良き理解者がいることで、無理なくやる気スイッチを入れ続けられるのです。

## 月 しし座

### 求められると気分がアガるんです

「私、必要とされている」と、実感することで、やる気スイッチがオンになります。月は、心が求めているもの……という意味も持っています。しし座の心が求めているのは、「私ができることで、認めてもらいたい」という承認欲求。必要とされたい人から必要とされることで満たされるため、俄然やる気スイッチが入るのです。

Aries
Taurus
Gemini
Cancer
Leo
Virgo

## 月 さそり座

### 心の状態を、法則に当てはめないで欲しい

「私の魂がイケると言っている」。これだけで、やる気スイッチがオンになります。月さそり座は、「心理学的にナントカ～」というふうに、多くの人が納得するような知識を引用されても、安心感を得られません。もっと深い、人が持っている魂の声を聞いてOKサインが出れば、それだけでやる気スイッチが入ります。

## 月 てんびん座

### ちゃんと理解されると安心できるんです

「私の言ってること、ちゃんとわかってくれてる？」。月てんびん座はこの部分が満たされることで安心感を得て、やる気スイッチがオンになります。そのため、「わかる～」といった上っ面の共感よりも、ちゃんと理解してくれていることが大切です。すると、「私の考えはおかしくないんだな」と思えて、やる気スイッチがオンに入ります。

## 月 やぎ座

### 寝れば、元通り元気になりますよ

体力マグロ（マグロは泳ぎ続けることで生きる）の月やぎ座ですが、そもそも人間ですので休息は何よりも大切です。普段から動き回る月やぎ座は、「休めるなら休みたい……」という欲求があるため、長時間布団に包まれて眠るだけで、「たくさん寝た！今日も頑張ろう！」という感じでやる気スイッチがオンになります。

## 月 いて座

### 何も考えていない楽観性じゃないんです

「何も考えていないわけじゃないよ。私の取る行動には意味があるの……」と、自分の深い部分に理解を示してもらえると、安心感で満たされてやる気スイッチが入ります。年がら年中考えごとをする月いて座が取る行動には全て意味があります。そのため、行動の意味に理解を示されることが、何よりも大事なのです。

## 月 うお座

### 心酔レベルの For Youマインド

「心の底から、あなたのために動きたいと思えること」が、やる気スイッチになります。月うお座は、損得勘定を抜きにして、ただあなたのために動きたいと思えたら、それだけでいいのです。むしろ、それ以外は何も必要ありません。また、対象となる人への心酔レベルが高くなるほど、よりやる気スイッチが強くなる傾向が出てきます。

## 月 みずがめ座

### やる気スイッチに頼らなくても、意外とイケる

「動く歩道的なやる気スイッチ」の月みずがめ座。常に一定の速さで動き続ける、動く歩道。同様に月みずがめ座は、どんな時も淡々と日々のルーティーンをこなします。ですので、モチベーションが下がって動けないということはなく、一定のテンションを保ち続けます。そのため非常に安定感があります。

# へとへとの自分にしてあげられる「癒やしの行動」と、掛けてあげられる「癒やしの言葉」とは？

## 太陽 おうし座

Taurus

**楽しさ100％の引きこもりっ子**

快楽100%の引きこもり状態を作り出すことが、癒やしの行動です。「例えば前々から一眼レフで風景を撮影してみたかった！　そして、心地良い自然も味わいたい」というふうに、楽しさ、気持ち良さを満喫しながら、快楽という感覚に100%引きこもれることがとても大切です。楽しいことに没頭しましょう。

## 太陽 おひつじ座

Aries

**何者にも遮られない、静かなひと時を……**

癒やしの行動は、誰からも干渉されず、なおかつ見晴らしの良い場所に行って、自然を満喫することです。なぜなら、太陽おひつじ座にとって自然とは、干渉されないことが約束されている安心安全の場だからです。この辺に関しては、いて座と似ているところがありますので、いて座と一緒に出掛けてみるのがおすすめです。

## 太陽 かに座

Cancer

**気持ちを汲み取ってくれたら、それだけでいい**

「私の話を聞いて！　私の気持ちをわかって！」という感じで、会話を通じて言いたいことが言え、言葉の裏側にある気持ちを汲み取ってくれる人に話しまくることが、癒やしに繋がります。そのため、ノンジャッジで「好きなだけぶちまけなさいな」という人がいてくれると、インスタント麺ができあがる速さで癒やされます。

## 太陽 ふたご座

Gemini

**たまには好きに自由に喋りたいよ……**

日頃、無意識に行っている“言葉選びの気遣い”を忘れて、自分の言葉でサクサク話せることが、癒やしに繋がります。お喋り上手と言われる太陽ふたご座ですが、実はめちゃくちゃ言葉を選んで話しています。そのため、「えっ？　言葉選びをせんでええんか？」という状態で喋りまくることが癒やしに繋がるのです。

## 太陽 おとめ座

Virgo

**これまでの頑張りを認めて欲しい**

リビングでヘソ天している猫のように、オフはのんびりな太陽おとめ座。反面、オンでは非常にシビアに関わるため、ガス抜きできる環境の中で過ごすことが癒やしに繋がります。「いつも頑張ってるんだね……。今日くらい、自分ファーストでいいんじゃない？」と、一言添えてくれる人がいることが大きな鍵になります。

## 太陽 しし座

Leo

**脱・強がり**

「本当に私はこれでいいのだろうか？」と、悩んでしまった時に、素直に気持ちを吐き出すことで癒やされていることを実感します。ただ、豆腐メンタルの太陽しし座は常に「こういうことを言って否定されたらどうしよう……」という、一抹の不安を抱いています。だから、絶対的な味方がいることが超重要になります。

## 太陽 さそり座

Scorpio

### ぜーーんぶっ！　ぶちまけますっ！

ズバリ、太陽さそり座の癒やしは本心ぶちまけ大会です。ポーカーフェイスといわれるさそり座ですが、決して隠しているのではなく、「私が本音で喋ると迷惑かな？」と、周りをおもんぱかっているため、悟られないようにポーカーフェイスになるのです。そのため、本心で深くまで語り合える人とお喋りすることで癒やしを実感します。

## 太陽 てんびん座

Libra

### 自分の声だけを聞ける静謐なひと時を

いつも相談役&指南役になってしまう太陽てんびん座。「何かわからないけど、やたらと相談される……」というのは、てんびん座のあるあるネタです。そのため、てんびん座の頭の中は他人の言葉でいっぱい。人の声が聞こえない静謐な環境に身を置くことによって、自分の脳内整理が進むのと同時に、癒やしを実感していきます。

## 太陽 やぎ座

Capricorn

### 心おとめを味わう時間の中で……

「隠れ推しに対する妄想」で癒やしが起こります。真面目、堅実といわれることが多いのですが、実はめちゃめちゃ心がおとめの可愛い星座です（笑）。数人は隠れ推しがいて、その人と握手をすることを妄想するだけでも、「はわわぁ……」となって、心が大満足。絶賛、癒やし中状態に。隠れ推しを作りましょう！

## 太陽 いて座

Sagittarius

### ぶっちゃけ、ハプニングも癒やし

「会いたい人に会いに行く！　帰りの交通費なんて知らん！」という行動を取ると、癒やしを実感します。旅人気質といわれる太陽いて座にとって、道中のハプニングはテーマパークのアトラクションのようなもの。また、人との出会い、旅の道中に物思いにふける時間が好きなので、出会い&ハプニングが癒やしの栄養剤です。

## 太陽 うお座

Pisces

### 妄想するくらいがちょうどいい

「こんなくだらないことを考えてどうするんだ（笑）」と、あまり意味を感じられない妄想をするだけで不思議と癒やされます。直感が鋭く、宇宙人といわれがちなうお座ですが、実は信じられないほど頭がキレる賢さを持っています。そのため、ハメを外せるくだらないことへの妄想は癒やしの素になっているのです。

## 太陽 みずがめ座

Aquarius

### お一人様時間を過ごすだけでOK

「ちょっと出掛けてくる」と、一言残してお一人様時間を過ごすことで、100%癒やされます。太陽みずがめ座は超気を遣います。どれくらい遣うのかというと、仕事関係の飲み会では、取り皿とトングが標準装備で、平等に皆に取り分けるのです。そのため、誰にも気を遣わなくていいお一人様時間は極上の癒やしタイムなのです。

# へとへとの自分にしてあげられる「癒やしの行動」と、掛けてあげられる「癒やしの言葉」とは？

## 月 おうし座

### おうし座＝ゆっくりだけじゃないんだよ

「あなたのペースでいいからね」という言葉が、癒やしになります。月おうし座は、ゆったりマイペースと思われがちですが、急ピッチ派とのんびり穏健派に分かれることがあります。そのため、「あなたのペース」という言葉は、どちらにも対応した表現であり、自分の進む速度を尊重されることによって、癒やしが起こるのです。

## 月 おひつじ座

### ありのままの姿を肯定してください

「そのまんまでいいんだよ」という言葉が、癒やしの言葉になります。月おひつじ座はポジティブシンキングの塊で、行動は暴走列車という印象がありますが、実は一度凹むと火を失ったキャンプファイヤーのように元気がなくなります。そのため、今の状態を肯定して応援してくれることが一番大切です。

## 月 かに座

### 「おかあさん！　聞いて聞いて！」を満たして欲しい

「わかった、わかった、何でも聞くから好きに話しなさい」という一言が癒やしの言葉です。さらに、満足するまで構ってくれる人と関わると、癒やし過剰摂取につき無敵モードになります（笑）。それに加えて、満足したら好きに自由にさせてくれると、癒やし無敵モードが途切れることなく続いていきます。

## 月 ふたご座

### 心に秘めていた言葉を全て吐き出すこと

「たまには好きなように話していいんだよ？」という言葉が、癒やしになります。太陽ふたご座でも似たような表現がありましたが、月は「心が求めているもの」という意味でもあります。いつも無意識に気を遣って言葉を選んでいる月ふたご座にとって、好きに話してもいいという印籠は極上の癒やしになるのです。

## 月 おとめ座

### 悩みのオーバーフローを解消したいの

「どんなことでもいいから、話してごらん」という一言が癒しの言葉になります。落ち込んだ月おとめ座は、「どうして、こんなことになったんだろう？」と、めちゃめちゃ考えますし、原因を解決するためにとことん調べ上げ、知恵熱を出します。そのため、"悩みのオーバーフロー"を受け入れてくれる一言が癒やしに繋がるのです。

## 月 しし座

### 思春期の気難しい子ども時代

「あなたなら大丈夫」「頑張り過ぎたんだね」という、応援と共感の言葉をもらえると癒やしを実感します。まるで、思春期で難しい時期の子どものような心を持つ月しし座にとって、応援と共感の使い分けをしてくれることは、癒やしを実感する上で非常に重要です。そのため、かなりオトナな人がそばでサポートをする必要があります。

## 月 さそり座



### 真正面から受け止めてくれる覚悟の気持ち

「キミがどんなことを思っていても受け止めるから、話したくなったら話してね」という一言が癒やしになります。本心を明かすことに躊躇してしまう月さそり座には、覚悟の気持ちがこもった強いメッセージを伝えることで、強烈な安心感と癒やしに繋がります。ただ、グイグイ行くと心を閉じてしまいますので要注意です。

## 月 てんびん座



### たった一言の気遣いが、癒やしに繋がる

「勘違いだったらごめんね。疲れている気がするけど、休んできたら？」という一言が癒やしになります。常に周りを気遣う月てんびん座は、「疲れてるよね」と断定的に言われると、申し訳ない気持ちでいっぱいになります。そのため、推測のニュアンスを感じさせる言葉で伝えてもらうことで、申し訳なさのない癒やしを実感できるのです。

## 月 やぎ座



### 「えっ!?　見てくれてたの!?」

「あなたがいてくれるからみんな助かっているよ」という一言が癒やしに繋がります。月やぎ座は責任感が強く、困っている人を放っておけない性格をしていますが、これを当たり前のように思う人からは感謝の気持ちを伝えられることが少なくなります。そのため、「見てもらえているんだな」という実感の湧く一言が、癒やしになるのです。

## 月 いて座



### 実は寂しがり屋。奥深い部分を理解して欲しい

「あなたのやっていることは、私に伝わっているよ」という一言が癒やしに繋がります。何も考えていないように見られがちな月いて座ですが、実は、行動には全て意味や意図があります。ですが、外見の印象からそう思われないことが多く、寂寞（せきばく）の想いを抱えています。そのため、深い部分に対する理解を示されると癒やしを感じるのです。

## 月 うお座



### 「こういう私でも、いいんだね？」

「また変なこと言ってるね、面白いからいいよ（笑）」という言葉が癒やしになります。摩訶不思議な言動をしがちな月うお座。そのため、「一生懸命話しているのに伝わらない……」という孤独を抱えやすくなります。ですので、摩訶不思議な言動に対しても受け入れや理解を示してもらえるだけで癒やしを実感できます。

## 月 みずがめ座



### 滅多に理解してもらえないからこそ……

「あなたのことを、ちゃんと理解したいから話して欲しい」という一言が癒やしになります。高度10000メートルの高さから周りを見渡すような客観性に優れ、独特の持論を持つ月みずがめ座は「理解されない孤独」を感じています。そのため、膝と膝を突き合わせて理解する姿勢を示してくれるだけで、癒しを実感できます。

# 私はどんな人間関係に苦手意識を感じてしまう？逆にパワーを与えてくれるのはどんな人、どんな人間関係？

## 太陽 おうし座

### 言葉に宿るエネルギーが美しい人

言葉が綺麗な人と一緒にいるとパワーをもらえます。「言葉が綺麗」というのは、「私は○○のように考えて候」といった、表面的な言葉遣いではなく、言葉の中に詰まっているエネルギーの美しさが判断基準です。そのため、「なぜそんな表現をするのかな？」という印象を持っても、エネルギーが綺麗であれば気にならないことも。

## 太陽 おひつじ座

### 合言葉は「やってみなきゃわからんやん」

「会議始めまーす。終わりまーす」。このくらいの感覚でつき合える人と一緒にいると、元気モリモリになります。もちろん、考えるには考えますが、薄暗い会議室で黙々と対話を重ねるよりも、「やってみなきゃわからんやん」という部分で嚙み合う人と一緒にい続けることで、持ち前のアクティブさを発揮できます。

## 太陽 かに座

### 遠慮なく素直に気持ちを吐き出せること

喜怒哀楽の感情を遠慮なく出せる人間関係の中で生きると、水を得た魚のようにパワーをもらうことができます。太陽かに座は引っ込み思案といわれがちですが、言いたいことを我慢するのではなく、喜怒哀楽の感情を出すことを躊躇してしまうのです。そのため、素直に気持ちを吐き出せる人間関係がとても重要になります。

## 太陽 ふたご座

### 超似ているか、全く似ていないか

「この人私にないもの持ってるなぁ」「この人すんごい私に似てるなぁ」と、相反する価値観を持った人、もしくはやたらと価値観が似ている人と一緒にいるとパワーをもらえます。要するに、ユーモア溢れる人が最高ということです。そのため全くの異業種の人と話すか、完全な同業種の人と話すことでパワーをもらえます。

## 太陽 おとめ座

### 締めるときゃ締める。緩むときゃ緩む

オンとオフをきちんと分けられる人と一緒にいるとパワーをもらえます。例えば、部活中においては、先輩と後輩という関係上、キチッと礼儀礼節をわきまえますが、部活が終われば、「今はオフなんだから楽しく喋ろうよ」というふうに、締めると緩めるを阿吽の呼吸で合わせられる人と一緒だとパワーがみなぎります。

## 太陽 しし座

### エレベーターのように「上にまいりまーす」

「やるっつったら、やるんだよ」と、自分の決めたことに対して一心不乱に邁進できる人と一緒にいるとパワーをもらえます。たとえ決めて動いたことが実現不可能と言われそうなことであっても、愚直に邁進し続ける生き方が互いに刺激を与え合い、もらったパワーが倍々に増えていきます。上昇志向の高い人と一緒にいるのが鍵です。

## 太陽 てんびん座

Libra

**翼が生えたような自由人と一緒がいい**

「私には、あなたみたいな自由な生き方は真似できない」と感じる人と一緒にいると、パワーをもらえます。太陽てんびん座は常に周りに気を配る他人ファーストな面があるため、中途半端な自由にもどかしさを感じることがあります。そのため、自分よりも自由な人と接すると、理想の人と関わっているような感覚に陥り、パワーを得られるのです。

## 太陽 さそり座

Scorpio

**愛のマンツーマンレッスン**

ズバリ！　「私とあなた」という関係が成立する人と関わるとパワーをもらいます。太陽さそり座をデートに誘う時に「一緒に行かない？」と言うと断られる可能性が高いのですが、「2人で行かない？」と誘うとOKをもらえることも。「私とあなた」という関係でいられることが単純に嬉しいのです。深い関係性を築ける人間関係が鍵です。

## 太陽 いて座

Sagittarius

**互いを知り、深く深く語り合えること**

「あなたプロファイリング」をし合えるような人間関係を好みます。自由奔放で自分勝手といわれる太陽いて座ですが、人と話している時に相手の行動パターンや思考パターンを分析するのが好きだったりします。そのため、お互いの考え方、夢、生い立ち等、その人たらしめている人間像を語り合えるとパワーをもらえます。

## 太陽 やぎ座

Capricorn

**昭和の熱血教師ドラマの如く**

青春スポーツドラマのような言葉ですが、「お互いの役割を果たしながら切磋琢磨し合っていこう！」といった人間関係を築けるとパワーをもらいます。ただ、切磋琢磨し合うだけの真面目一辺倒な関係性だけでなく、オフはオフで役割を忘れて、普段は見せない素で話し合えることも重要です。

## 太陽 みずがめ座

Aquarius

**一芸に秀でた変わり者の努力家**

「私、それができるまで6ヶ月も掛かったのに、たった3ヶ月でできちゃうの？」と、尊敬し合える人間関係を好みます。プロセスを大切にする太陽みずがめ座にとって、短期間で技能を習得していることは、努力の揺るぎない証拠になります。そのため、それだけで尊敬の対象になるのです。お互いを尊いと感じ合えることが重要です。

## 太陽 うお座

Pisces

**本心から繋がり合える人、最高！**

愛の豪速球を投げ合うように関われる人間関係を好みます。太陽うお座は相手にとってめちゃめちゃ手痛いこともズバリ伝えますし、相手が少しでも楽になるような言葉も伝えます。ここには、「私は心の底から、本心からあなたと関わりたい」という意図があります。時には手痛いこともありますが、愛の豪速球で本心から関われることが重要です。

# 私はどんな人間関係に苦手意識を感じてしまう？ 逆にパワーを与えてくれるのはどんな人、どんな人間関係？

## 月 おうし座

### おうし座牧場のペースに合わせてください

「返信は即レスで」（ここまでストレートに言う人はいないと思いますが）というふうに、自分のペースだけを考えて接してくる人に苦手意識を感じやすくなります。月おうし座が経営するおうし座牧場は、「私の心地良いペースで進めます」がモットーですので、心地良さを乱す人を遠ざけるようになります。

## 月 おひつじ座

### 「で？　何が言いたいの？」

周りくどい言い回しをする人に、苦手意識を感じやすくなります。どれくらい苦手かというと、「何？　言いたいことがあるならハッキリ言ったらよろしいがな」と、思わず反応してしまうレベルです。ただ、きちんと気持ちを伝えたいけど、中々言葉が出てこない人に対しては誠実に向き合うようになります。

## 月 かに座

### 好意が曖昧&遠回しな人はちょっと……

あやふやな好意を示す人に対して苦手意識を感じやすくなります。「好き！」「嫌い！」と、好き嫌いの表現がハッキリしている月かに座にとって、「まぁ〜、好きかもねぇ〜」といった、どっちつかずな状態で関わられることは、単純に不安になるのです。そのため、ハッキリと好意を示してくれる人との関わりを望むようになります。

## 月 ふたご座

### 「ちょ、近い近い（笑）」

グイグイ距離を詰めてくる人に対して、苦手意識を抱きやすいです。つかず離れずの距離感を大切にする月ふたご座にとって、ポッキーゲームをするくらいの距離に近寄られると、「近い近い！　もうちょい遠くに行って」といった感じで、遠ざけたくなるのです。適切な距離感を保ちながら関わる人を強く望むようになります。

## 月 おとめ座

### 私のターンなのに、会話を取らないで欲しい

相談や愚痴を吐いた時に、自分語りをし出す人に苦手意識を持ちやすくなります。例えば、「最近、仕事で上手くいかなくて……」と、相談したとして、「マジで？　いやぁ〜。わかるよ。俺もお前くらいの時はそうだったんだよね……」と、会話を取って自分語りをする……。この瞬間に月おとめ座の心のシャッターがガラガラガッシャン。

## 月 しし座

### 奥歯に何か詰まったような言い方はなんだ？

裏の意図を感じるようなあざとい関わり方をしてくる人に苦手意識を持ちやすくなります。もっと言うなら、苦手意識というよりも、嫌悪感を露わにします。月しし座が裏の意図なくストレートに物事を伝えるため、「そういう、気づいて欲しい感を出されても面倒臭い」と、一言残してその場を去ることでしょう。

## 月 さそり座

**のべつまくなしに
言っていいもんじゃないぞ？**

「親しき中にも礼儀あり」がわからない人に対して、強い嫌悪感を示します。月さそり座は一度懐に入れた相手に対して、包み隠さず話すようになりますし、本心で関わるようになります。ですが、「これ以上、踏み込んじゃいけないかな」と、礼儀をわきまえているため、この部分が欠落した人に対して強い嫌悪感を感じるのです。

## 月 てんびん座

**いつも優しいと思わないでね？**

「私に何でも言っていいと思ってない？」と、感じる人には、激烈な塩対応を発動します。月てんびん座は、会話の中で相手から答えを引き出す聞き上手です。そのため、いわゆる良い人に見えてしまい、アレコレ言われることがあります。「あぁ。キミはそういう人ね」と思った途端、最低限の関わりだけをするようになります。

## 月 やぎ座

**ねぇ？　何回言ったらわかるの？**

ズバリ、だらしない人が苦手です。こういうふうに表現すると、「誰でも当てはまるじゃないですか！」と言われてしまいますが、月やぎ座はすんごく根気強いので、改善されるまでじっくり待ち続けることができます。そのため、「改善の見えないだらしなさ」が絶対的なNG案件であり、一切関わろうとしなくなります。

## 月 いて座

**詮索、干渉、把握、全部ムリだよ……**

全てを把握しようとする人に、苦手意識を感じやすくなります。そのため、あれこれ質問されることに面倒臭さを感じます。質問の意図がわかれば、折り合いをつけることができますが、基本的に質問ばかりをしてくる人に対し、「この人、苦手」と感じやすくなります。そんな月いて座にとっては、自ら語るのを待ってくれる人が最高の存在です。

## 月 うお座

**実は、傷ついてますから**

「いつも適当に笑って流しているけど、実は気にしているんだよ？」という、隠れ繊細さんな部分に、ズカズカと踏み込んで来る人は秒速で遠ざけます。「許すは保留」「実は、根に持つ」という、隠れた性質を持つ月うお座にとって、繊細な心を丁寧に扱ってくれない人は、この世に存在しない人として扱う対象になります。

## 月 みずがめ座

**言動ズレズレ&矛盾だらけマンは、
ちょっと……**

「言っていることとやっていること違くない？」と感じる人が苦手です。例えば、「俺、会社辞めて起業するわ！」と言っているのに、土日は飲み歩いて何も準備をしていない……というような人のことです。このような人を目の当たりにすると、その人には1ミリも興味を抱かなくなり、一目散に退散してしまいます。

# 私はどんな人を愛し、相手をどう幸せにする？

## 太陽 おうし座

**楽しくない時は私が楽しませてあげる♡**

相手が忘れかけている、生きる喜びや楽しさを思い出させる。これが、太陽おうし座流・幸せ術です。このような対応をするのは、おうし座自身が、喜びや楽しさに対してどこまでも素直で従順だからです。まるで、公園でキャッキャと遊ぶ子どものような、おうし座の無垢さに触れるだけで、忘れかけていた生きる喜びや楽しみを思い出すのです。

## 太陽 おひつじ座

**信じてる。<br>キミなら絶対にできると**

どのような困難であっても、「えっ？　絶対できるでしょ」と、1ミリも困難を感じさせないトーンであっけらかんと伝えて、勇気づけることで、本来相手が望んでいる行動を取れるようにしていく。これが、太陽おひつじ座流・幸せ術です。おひつじ座の辞書に『不可能』はありません。そのため、おひつじ座が吐き出す言葉から、勇気をもらうのです。

## 太陽 かに座

**ずっと見守る。<br>最後の一歩を踏み出すまで**

「最後の一歩を踏み出すのは、あなた自身。でも、その瞬間まで寄り添うからね」。これが、太陽かに座流・幸せ術。道ゆく人とすれ違うだけで、人の気持ちをキャッチしてしまうレベルの優れた共感性を持つかに座ですが、母が子の成長を見守るかのように「最後の一歩は、あなた」という姿勢を崩しません。強さと優しさを使い分けて人を幸せにします。

## 太陽 ふたご座

**考え方次第で幸せになれるんだよ**

「私が知っていることを使って、あなたが抱えている悩みが解決するようにサポートをする」。これが、太陽ふたご座流・幸せ術です。新しい知識に興味津々なふたご座は、まさに歩く図書館です。そのため、悩んでいる人に対して「こういうふうに考えてみたら？」と、たった1つの考え方を伝えるだけで、スルッと悩みを解決できるのです。

## 太陽 おとめ座

**キミにはキミの成長ペースがあるんだよ**

「比べなくていい。キミにはキミの良さや成長の速度があるんだから」。これが、太陽おとめ座流・幸せ術です。生真面目なため、リクエストに応えて役に立ちたいと思うおとめ座は、時折、周りと比べて無力感に苛まれることも。このような苦しみを知っているため、相手が持っている長所に気づかせて、すくすく成長できるようにサポートします。

## 太陽 しし座

**キミが諦めても私は諦めないよ**

「キミが全てを投げ出して諦めたとしても、私は諦めない」。これが、太陽しし座流・幸せ術です。超繊細で凹みやすいしし座は、支えられることのありがたさを知っていますし、一度決めたことは、ズタボロになってもやり遂げようとします。この強さを人に注ぐことで、崖っぷちにいる人にも生きる活力を与え、幸せにしていくのです。

Aries Taurus Gemini Cancer Leo Virgo

## 太陽 さそり座

Scorpio

**幸せは、全てあなたの心から生まれる**

「本気で信じてごらん。あなたはもっとできる人なのだから」。これが、太陽さそり座流・幸せ術です。「私の心がYESと言っている」と、答えが心から返ってくるだけで、果敢に行動を起こして成功を掴むさそり座にとって、たった3字の「信じる」という言葉は、幸せになるための生きる源なのです。そのため、精神論がやや多めになります。

## 太陽 てんびん座

Libra

**人は間違える。それでいいのさ**

「人は間違える。だけど、いつだってやり直せるんだ」。これが、太陽てんびん座流・幸せ術です。てんびん座は、「間違い」「正解」という評価を下しません。なぜなら、「私にとっては間違いでも、他人から見たら正解になることもある」と、公平な判断をするからです。そのため、過ちを犯した人に対してやり直しのチャンスを与え、再起を促します。

## 太陽 やぎ座

Capricorn

**頼って。全力で応えるから**

「困った時は全力で頼っていいの。そのほうが、私も全力で応えられるから」。これが、太陽やぎ座流・幸せ術です。どれだけうだつが上がらない人でも、相手が頑張り続ける限り全力でサポートすることに喜びを感じるのがやぎ座の性分。そのため、相手が全力で頼ってくれると、いつもの何十倍もの力を発揮して相手をサポートします。

## 太陽 いて座

Sagittarius

**迷う＝道の駅に寄り道する感覚でいい**

「生き方に迷ったの？　それだけ真剣な証拠だし、もしかしたら、迷ってるんじゃなくて、道の駅で休むみたいに、寄り道をしているのかもよ？」。これが、太陽いて座流・幸せ術です。いて座は、「もしかしたら〜かもしれないよ？」と、決して決めつけず、全ての物事をポジティブに解釈して伝えて、相手の心を軽くしていくのです。

## 太陽 うお座

Pisces

**良いものを持っているんだから、大丈夫**

「キミの力はそんなものじゃない。せっかく良いものを持っているんだから、全力で使ってごらんよ」。これが、太陽うお座流・幸せ術です。愛の星といわれるうお座ですが、本気でサポートする時は、心に強さや自信がみなぎる力強い言葉を掛けます。そして、ほんわかした優しい人ではなく、THE体育会系の愛のティーチャーになります。

## 太陽 みずがめ座

Aquarius

**飛び出せ！　オリジナルの世界へ！**

「出る杭は打たれる？　じゃあ、打たれなくなるくらいの高さまで飛び出そうか」。これが、太陽みずがめ座流・幸せ術です。「人には個性がある。だから、違いが生まれる。この“違い”があるからこそ、人は役割を感じられるんだ」と、出る杭が打たれなくなるくらいの高さにまで個性を磨き上げるためのサポートをしていきます。

# 私はどんな人を愛し、相手をどう幸せにする?

## 月 おうし座

### いつでも、どこでもおうし座

「焦らなくていいよ。私がいつもそばにいるから」。これが、月おうし座流の愛し方です。心地良さMAXのマイペースを大事にする月おうし座にとって、焦りは禁物。そのため、生き急ぐような人を見ると無性に放っておけなくなります。心地良さに包まれた中で生きることの大切さを実感してもらえるように、じっくり愛するようになります。

## 月 おひつじ座

### 不器用な人、ウェルカム!

「不器用だけど、ひたむきに走り続ける人を、私は愛する」。これが、月おひつじ座流の愛し方です。常に正直なおひつじ座は、「大人なんだから、もっと現実を見なよ……」と、たしなめられることがあります。しかし、それでもひたむきに走り続けるおひつじ座にとって、同じような匂いがする人は、無条件に愛すべき存在になるのです。

## 月 かに座

### 喜怒哀楽の共有は任せてね

「あなたが悲しいのなら、一緒に涙を流して悲しもう」。これが、月かに座流の愛し方です。相手の感情に「指紋認証100%マッチ状態」のレベルで共感できるかに座にとって、目の前で悲しむ人の気持ちにシンクロするのは朝飯前。そのため、相手の悲しみを共に分かち合うように一緒に涙を流すことで、無条件の愛を注ごうとします。

## 月 ふたご座

### リソース全出しで、知識でサポート

「まるで、自分の分身のような人。そんなあなたを放っておけない」。これが、月ふたご座流の愛し方です。ふたご座は、自分と酷似した人に対して、「これまでの生き方や環境が違うのに、どうしてこうも似ているのだろう?」と、強い親近感を抱きます。そのような人に出会うと、歩く図書館のリソースを全出しして愛するのです。

## 月 おとめ座

### どうしようもない時でも、そばにいるよ

「気にし過ぎてもどうしようもないことがある。解決策を見つけるために、一緒に考えよう?」これが、月おとめ座流の愛し方です。「何か気になる……」という性分で、それに苦しんできたおとめ座。同じような人を見た時、「私もそうだった……。何とかしてあげたい」と、使命感のようなものを感じ、何とかしようと愛するようになるのです。

## 月 しし座

### どんな時も、私はあなたの味方だよ

「たとえ、世界中の人があなたを否定しても、私はあなたを肯定し続ける」。これが、月しし座流の愛し方です。どれだけ恐ろしくても、毅然と立ち向かうしし座にとって、味方がいることは強い心の支えになります。そのため、否定されて怯える人を守るために矢面に立ちながら、肯定し、愛するようになるのです。

## 月 さそり座

Scorpio

### まるで、契りを結ぶかのように……

「病める時も、嬉しい時も、どんな時も寄り添います」。これが、月さそり座流の愛し方です。99%がポンコツでも、残りの1%にその人が持っている心の美しさを感じると、自分でも気づかないくらい献身的になります。そのため、深く悩む人、心が美しいと感じる人に対して愛が湧き上がるようになります。

## 月 てんびん座

Libra

### ポジティブフィードバック!

「キミは自分を過小評価し過ぎだよ。客観的に見ると、○○のような素晴らしいところがあるじゃないか」。これが、月てんびん座流の愛し方です。相談指南役を担うことが多いてんびん座は、とにかく客観性に優れているため、人間分析力が高いのが特徴的です。相手が見落としている「あなたの素晴らしさ」を伝えて、愛そうとします。

## 月 やぎ座

Capricorn

### 見限らないGod Mother

「努力は無駄にならない。困ったら相談していいから、コツコツやり続けよう」。これが、月やぎ座流の愛し方です。そのため、わかりやすく言うと、『頑張り屋さん』を見た時に母性本能がくすぐられるような感覚に陥り、物心共にサポートをすることで、相手を愛そうとします。ズバリ、God Motherタイプ。

## 月 いて座

Sagittarius

### 実は、全ての人は自由なんだよ

「自由を束縛するのは自分自身。本来、自由な生き物なんだよ」。これが、月いて座流の愛し方です。哲学者気質のいて座は、たまに語ります。「不自由も自由意志で選んでいるのだから、自由に生きるという選択をすればいい」と、深い言葉で気づきを促します。そのため、強い不自由さを感じている人を愛そうとするのです。

## 月 うお座

Pisces

### つらい気持ち、分けてもいいんだよ?

「受け入れられないつらい気持ちを、私にも分けて欲しい」。これが、月うお座流の愛し方です。地球の表面の70%は海といわれているように、大海で暮らすうお座は、ありとあらゆる気持ちを受け入れることができます。そのため、一人で気持ちを抱え込んでいる人を見ると、使命感が刺激され、痛みを分け合うようなアプローチで愛そうとするのです。

## 月 みずがめ座

Aquarius

### 問題解決の天才

「あなたを苦しめている本質的な問題を、共に解決しよう」。これが、月みずがめ座流の愛し方です。スロースターター気質のみずがめ座は、自身に問題が降りかかると、かなり時間を費やすため、苦しい時間が長引きがちです。そのため、自分と似たようなタイプの人を見た時に、過去の自分と重なり、愛そうとする傾向が出ます。

# 私はどんな時に今の場所を去って、次のステップに進めばいい？

## 太陽 おうし座

**「楽しくないから、いーらないっ！」**

楽しくないことと決別した後や、梅雨時に感じるようなベタベタした感覚が、シャワーを浴びた後のようなスッキリ感に変わった時は、次のステップに進むタイミングです。あれもこれも溜め込んでしまうおうし座にとって大切なのは、捨て去ること。楽しいことを探すよりも、楽しくないことをポイポイ捨てていったほうが、圧倒的に成長が速くなるのです。

## 太陽 おひつじ座

**「次！」という声に従ってOK**

「やり切った！」と、実感した瞬間が、次のステップに進むタイミングです。太陽おひつじ座にとって大切なのは、どれだけ取り組んでいることに熱を注げるのかです。そのため、一度でも「やり切った！」と感じたら、これまで取り組んでいたことにお別れを告げるタイミングであり、次のステージに移る絶好の機会になります。

## 太陽 かに座

**大概のことは、何とかできる抜群の行動力**

「考えてもしゃーない！　あとは、野となれ山となれ！」と、心の底から思えた時こそ、次のステップに進むタイミングです。元々、超活発な太陽かに座は、とにかく動いて現状を変えていくことで、やりがいを感じていきます。さらに、生まれつき持っているスポ根的な性格を活かしていくことで、誰よりも速くステップアップしていくことができます。

## 太陽 ふたご座

**知ることへの満足感を大切に**

現在進行形で学んでいることに対して、「まぁ、こんなもんかな」と思えた時こそ、次のステップに進むタイミング。知識の探究心が旺盛な太陽ふたご座にとって、ずっと同じことを学び続けるのは、とても退屈です。そのため、「まぁ、こんなもんかな」と思った時は、どんどんアウトプットして磨きをかけることで、次のステップへ進んでいくのです。

## 太陽 おとめ座

**より、必要としてくれる人たちの元へ……**

「もっと、私を必要としてくれるところがあるのではないか？」という考えを抱いた時こそ、次のステップに進むチャンスです。役に立つことでやりがいを感じる太陽おとめ座にとって、自分がいなくても良い環境は、活力を失う原因です。そのため、より多くの人が自分を必要としてくれる環境があるとわかった時こそ、大きなチャンスなのです。

## 太陽 しし座

**理想のあり方のアップデート**

「自分アップデート」の必要性を感じた時は、次のステップに進むタイミングです。太陽しし座にとって、自分アップデートとは、「どういうふうに、私は生きていきたいのか？」と、あなたの内にあるアイデンティティを、より良いものに変えていくことです。そのため、「あり方」を変える必要性を感じた時が鍵です。

## 太陽 さそり座

Scorpio

### 華麗なる人生大改造プロジェクト

「人生を180度、良い方向に変えたい……」という欲求を抱いた時、自然と次のステップに進むようになります。追い詰められると本領を発揮する太陽さそり座は、現状に不満を抱き、もっと良い状態になれると感じた途端､寸暇も惜しまず徹底的に行動し、変化を起こします。次のステップに進むことで、より良い人生を創っていきます。

## 太陽 てんびん座

Libra

### 上質な仕事スタイル&<br>プライベートを追求すべし

「仕事もプライベートも、より充実させたい」という考えが脳裏をよぎった時こそ、次のステップに進むチャンスです。機転の利いた対応ができる太陽てんびん座は、基本的に、どんなことでも、周りから求められた成果を出すことができます。そのため、今よりも仕事もプライベートも充実できる環境があると知った瞬間こそ､大きなチャンスになるのです。

## 太陽 やぎ座

Capricorn

### 上へ､上へ､とにかく上へ

「これまで培ってきた能力を、より高みへと成長させたい」と思った時こそ、次のステップに進むタイミングです。これまでの自分よりも成長させていきたいという気持ちが強い太陽やぎ座にとって、現状維持は退屈極まりない状態なのです。そのため、より高みへと成長させたいと思った時は、間違いなく次のステップに進むタイミングです。

## 太陽 いて座

Sagittarius

### 今を生き､未来にトキメク

"今"に満足した瞬間こそ、次のステップに進むタイミングです。未来を生きると思われがちな太陽いて座ですが、いて座ほど"今"を生きる星座はいません。なぜなら、どれだけ崇高な未来の絵図を描いていても、実現するための行動や変化を起こす必要があるからです。そのため、"今"に満足し、新たな未来へ進みたいと感じた瞬間が鍵になります。

## 太陽 うお座

Pisces

### 根拠がなくても､お告げに従うこと

「何となくだけど、今のままじゃいけない気がする……」と、まるで、お告げを受け取ったような感覚に陥った時こそ、次へ進むタイミングです。予知夢を見てそれが当たる……というくらいの正確な"当たる予感"を感じて動くと、そのほとんどが功を奏します。そのため、ひらめいた予感に素直に従うことによって、次のステップに進めるのです。

## 太陽 みずがめ座

Aquarius

### 奥義!　人生ちゃぶ台返し!

「もう、こんなことやってらんないわ」と、直感的にひらめいた瞬間が、次のステップに進むタイミングです。通称、人生ちゃぶ台返し（これまで培ってきたことを白紙に戻してやり直すこと）をする太陽みずがめ座は、時折、100%のリスタートを切ることがあります。これは、自暴自棄ではなく、次のステップに移行する合図なのです。

# 私はどんな時に今の場所を去って、次のステップに進めばいい？

## 月 おうし座

### 「いただきます」の意味、知ってる？

日常の些細な出来事に対して、感謝ができない人が多い場所からは、すぐに去ることをおすすめします。例えば、ご飯を食べる時に、感謝を示す、「いただきます」を言わない……というようなものです。些細な出来事に対して感謝できない人を見ると、「きっと、人に対しても感謝しないんだろうな」と感じるのです。

## 月 おひつじ座

### 退屈な場所は、俺には合わねぇ！

やる気を微塵も感じられない人が多い場所からは、すぐに去った方が良いです。なぜなら、「やりがいのある仕事を探すんじゃなくて、自分でやりがいのある仕事にするんだよ」という月おひつじ座にとって、やる気を感じない人が多い空間は、シンプルに合わないからです。このような時は、すぐに今いる場所から去りましょう。

## 月 かに座

### “気”でわかっちゃう、敏感体質

「なんか、気が重いな……」と感じたら、すぐにその場から避難しましょう。ここでいう“気が重い……”という言葉は、薄気味悪い場所であったり、どれだけ実績がある人であっても、自分をコントロールしようとしているように感じるなど、人が醸し出す圧による気の重さを指します。理屈ではなく、直感ベースの印象を信じると吉。

## 月 ふたご座

### 「あなたとはここまで」が通じないところは、しんどい

人間関係における距離感を合わせられない人が多い場所からは、すぐに去りましょう。会話が上手いといわれる月ふたご座ですが、その裏側では、どこまでがOKワードで、NGワードなのかを探りながら、自分と相手がフィットする距離感を見つけ出します。そのため、「距離感を合わせられないんだな」と感じると、関わるのが億劫になるのです。

## 月 おとめ座

### 期待に応えたくない場所からは去ろう

「もうどうでもいいかなぁ」と思ってしまうところからは、なるべく早めに離れましょう。なぜなら、応えられることには一生懸命になれる月おとめ座が、「もうどうでもいいかなぁ」と思うのは、限界ギリギリのラインに立っている状態だからです。また、“もう”という言葉は、散々考え尽くしてきた……という意味もありますので、パパッと離れましょう。

## 月 しし座

### 100人の意見より、私の納得感

100人に否定されても、自分が決めたことは何としてもやり抜こうとする、生真面目なしし座。このような性格上、責任感はかなり高め。ですが、周りの雰囲気に流されて、つい、なあなあになってしまう自分がいると感じたら、即、去りましょう。月しし座にとって、自分で決めるのは得意中の得意ですので、翌日には去っているかもしれません。

## 月 さそり座

**「ごめんね。心に嘘はつけないの」**

本心に嘘をついてまでい続けなければならない場所からは、即刻離れましょう。どんな時も、本心に従って生きていたい、また、嘘を最も嫌う月さそり座にとって、冒頭でお伝えした場所は、かなり生き苦しさを感じます。そのため、「本心とズレているな……」「無理に合わせている」と感じた時は、“即刻離れましょう”の合図です。

## 月 てんびん座

**仕事人間にはなりたくないので……**

生活のバランスが崩れてしまうような場所からは、周りを気にせずに去りましょう。生活のバランスというのは、自分に充てられる娯楽の時間と、与えられた役割に充てる時間のこと。月てんびん座は働き過ぎて自分の時間がなくなるような場所にいると、生きる楽しみを感じられない状態になります。自分ファーストで決めてOKです。

## 月 やぎ座

**やるべきことをやらない人は、ムリ……**

自分の能力を活かせない場所や、やるべきことをやろうとしない人と一緒にいると、「そろそろ、離れてしまおうか……」と、熟考し始めます。無礼がないように、バックレるようなことを月やぎ座はしません。きちんと段取りを決めた上で、もっと能力を活かせる人、責任感が強い方がいるところに、やぎ座民族の大移動の準備を始めましょう。

## 月 いて座

**過度な原点回帰&現状維持は、去ってヨシ**

いつまでも、過去を引きずった相談をしてくる人や、過去に囚われて、未来へ進む目的を持たない現状維持の場所からは、去る率がかなり高くなります。月いて座は「いつまで過去のことを引きずっとんねん（笑）」と、内心呟いているはず。その心のままに決断し、その場やその人の元からは去りましょう。

## 月 うお座

**滅多に変わらない想いが、判断基準**

想いが変わってしまった時、月うお座はその場、その人の元から、消えるようにいなくなります。すると、「昨日までは、太平洋に住んでいたのに、今日はインド洋にいるのか」というレベルの移動をして消えてしまうため、周りは度肝を抜かれます。心赴くままに、自分を信じてその場から去ってしまってOKです。

## 月 みずがめ座

**突然去りますが、前々から思うところがあってだな……**

「どんな時」というよりも「その場から去るのは、突然に」という傾向が出てきます。ただ、何も考えていないわけではなく、論理的な対話ができない面倒臭い人間関係があったり、不平等な扱いが横行する場であったりと、月みずがめ座の倫理感に反することが多々あると、突然その場から去る決断をします。大体、それが上手くいきます。

# 私はどんな職場にいると能力を発揮しやすい?

## 太陽 おうし座

### アトリエにこもって、24時間が経っても……

大好きなアトリエに24時間入り浸るようなスタンスで、1つの作業に没頭できる職場に行くと、能力を発揮できます。ただし、喜びや楽しさに対して素直で従順な太陽おうし座さんにとって、楽しい作業であることが大前提です。そのため、「仕事だから……」と割り切るのは、とても困難になりますので、楽しいと思える職種を選びましょう。

## 太陽 おひつじ座

### 目の前のことに集中させて欲しい

「やりたい!」と言ったことが、どれだけ無謀なことであっても、「じゃあ、とりあえずやってみ! 責任は俺が取るから」と、切り開いて進んでいくことだけに集中させてくれる職場にいると、のびのび働けるようになります。反対に、逐一報告が求められるような職場では、秒で面倒臭さを感じて退職を考えるはずです。

## 太陽 かに座

### 理屈よりも、気持ちの繋がりが大事

きちんと共感し合って気持ちを大事にし、互いを思いやりながら働き合える職場にいると、長期的に働くことができます。直感的に「ここ違うわ」と思ったら、パパッと退職してしまうことがある太陽かに座ですが、気持ちを大事にして、同僚と互いに思いやりを持って働ける環境だと、水を得た魚のように動き、末長く働くことができます。

## 太陽 ふたご座

### アイディアのブレンドが超楽しい!

全員でアイディアを出し合い、良いものをどんどん取り入れて形にしていく職場にいると、能力を発揮しやすくなります。脳内フットワークが異常に軽い太陽ふたご座が出した、「ちょっと、こういうの面白くない?」というアイディアに対して、あれこれ言われるのではなく、「いいね! 考えてみようか!」と言われると、ワクワクが止まらなくなります。

## 太陽 おとめ座

### 仕事だけど、お礼は大事だよ?

仕事をした時に、「仕事なんだから」という言葉で片づけられるのではなく、「いつも、助かってるよ」と、きちんと一言添えてくれる職場がおすすめです。率先して何かをするよりも、役に立てることで喜びを感じるため、一言添えてくれることは役に立てた証なのです。すると、より一層熱心になり、周りも安心して働けるように動きます。

## 太陽 しし座

### 新たな挑戦をする時、支えになる人がいれば…

安心して挑戦&失敗のできる職場にいると、能力を発揮しやすくなります。繊細な心を持つ太陽しし座にとって、「ダメ」の一言は禁句。失敗しても、「何もしないより、全然OKさ!」と、肯定的に接してくれる職場環境と、自らを奮い立たせる強さがあれば、新たな挑戦をする時に恐れがあっても、持ち味の挑戦力を活かせるようになります。

## 太陽 さそり座

Scorpio

**少数精鋭で、
深い繋がりを感じ合える人と……**

1対1で、マリアナ海溝くらい深い人の悩みや痛みに触れられること。これが、太陽さそり座の理想の職場です。そのため、人の心がない、無機質な機械と向き合うような職場にいると、わかりやすくエネルギーが下がります。また、大人数よりも少数精鋭を好みます。小規模で、それぞれと繋がり合えることも大事になります。

## 太陽 てんびん座

Libra

**コスパが良ければ、
プライベートも充実しやすいから**

「コスパ職場最高！」と、考えている太陽てんびん座。コスパ職場とは、効率と生産性のバランスがベストであること。例えば、きちんと関係各所と連携が取れていて、今日すべき仕事が決まっており、1時間くらい残業したとしても、休日や休憩は必ず確保できるような感覚です。コスパ職場にいると、最高のパフォーマンスを発揮します。

## 太陽 やぎ座

Capricorn

**ナンバーワンよりナンバーツーで、本領発揮**

「大殿の懐刀 ～ナンバーツーの立ち位置を好む～」という状態で働けると、最高のパフォーマンスを発揮します。太陽やぎ座はナンバーワンで働くよりも、二番手のポジションを好みます。そのため、実力がある人の補佐をすることでパフォーマンスが上がります。また、上が倒れた時、一時的に代理で大黒柱を務めることも可能です。

## 太陽 いて座

Sagittarius

**いて座を縛らない、超理想の環境**

「会社の経費で、旅（注：出張）に行けるとか最高過ぎるだろ」という願望を叶えられる職場にいると、能力を発揮しやすくなります。いつも同じ人、いつも同じ通勤経路、いつも同じ場所。これらは太陽いて座を退屈させる源です。そのため、外の世界へ行くことができると、常に新鮮さを感じられて、のびのび働けるのです。

## 太陽 うお座

Pisces

**太陽うお座の持つ先見の明を
活かしてくれる職場が最高**

「何言ってるのか、まるでわからんぞ」という状態でも、実は、芯の部分を信じてくれる環境が最高の職場です。太陽うお座は摩訶不思議発言をしてしまうと思われがちですが、常人には理解できないレベルで深掘りして考えるため、周りがうお座の発言を理解できないのです。理解できなくても信じて仕事を任せてもらえると、完璧に仕上げるようになります。

## 太陽 みずがめ座

Aquarius

**価値観の異種格闘技戦が最高！**

全く異なる価値観を持った者同士が集まっているのに、尊重し合うことができる職場にいると、能力を発揮しやすくなります。「みんなやっているよ」と言われると、秒でテンションが下がる太陽みずがめ座は、異なるものを好みます。なぜなら、あらゆる違いがあるからこそ、濃度100%のオリジナルなアイディアが実現すると知っているからです。

# 私はどんな職場にいると能力を発揮しやすい？

## 月 おうし座

### 企画はアレですが、アイディア力は任せて！

「これ、やったら面白いかもなぁ」という、アイディア力を汲み取ってくれる職場であると、充実感を得られ、本来持っている独特のアイディア力を活かしやすくなります。月おうし座は、全てを一任されると重たく感じますが、「一緒に考えてみる？」と、背中を支えてくれるような安心感があると、のびのびと働くことができます。

## 月 おひつじ座

### 毎日、全力を尽くせると充実感満載

「今日もやり切った！」と、心が充実感で満たされる職場であると、能力を発揮しやすくなります。そのため、どれだけ人手が足りなくても、まるで眼前に立ち塞がる数万の敵軍を薙ぎ払うかのような無双モードになると、「よっしゃ！　今日もやり切った！」と感じます。ただ、終わった後に、出涸らし状態になるまでがテンプレです。

## 月 かに座

### とにかく喜ばれる職場が大事

「私の行動によって、あなたが笑顔になること」という、月かに座のポリシーを実現できる職場にいると、心が充実感を覚えて、能力を発揮するようになります。想いを寄せる人が笑顔であることが何より大事なかに座にとって、自分の行動と相手の笑顔がイコールになることは、充実感を得る上で、非常に重要なポイントなのです。

## 月 ふたご座

### A＋B＝新しい何か

楽しみながら試行錯誤できる職場であれば、どのような職種でも、心が充実感を得やすくなります。そして、月ふたご座が持っている「Aノウハウ＋Bノウハウ＝新しい何か」を生み出すアレンジ力が全開になります。ふたご座は、あらゆる考え方を組み合わせて、新しい何かを生み出す能力に長けているため、試行錯誤は苦になりません。

## 月 おとめ座

### 責任の所在を明確にしてください……

ちゃんと責任が分散されている職場であることが、かなり重要になります。月おとめ座は、与えられた仕事はきちんとこなすため、安定して結果を出します。そのため、怠け者から「あの人がいるから任せちゃえばいいか」と思われてしまいがちに。自分一人で頑張っているような気がすると、心底馬鹿らしくなってしまうのです。

## 月 しし座

### もしかしたら起業家になった方が早いかも？

かなり難易度は高めですが、「やりたいことだけをやらせてくれ」というリクエストが通る環境であれば、持ち前の上昇志向を最大限に活かせ、最高のパフォーマンスを発揮します。そのため、月しし座がどうこうというよりも、寛容な人間関係に恵まれることが重要です。そういう意味では、自分で会社を起こしたり、個人事業主になるほうが良いかも。

## 月 さそり座

### まるで身も心も捧げるかのように……

心の専門家の異名を取る月さそり座にとって大切なのは、周りからの評価よりも、在籍している職場に、心の底から信頼できる人がいるかどうか。戦国時代の武将が、殿に忠誠を誓って尽くすのと同じような生き方をするさそり座にとって、「尽くしたい」と思える、心底信頼できる人がいるかどうかは、かなり重要なポイントです。

Scorpio

## 月 てんびん座

### 意外と自分のことはわからないんです

個人的な感情を入れず、客観的に評価をしてくれる人がいる職場であることが重要です。客観的に相手を分析する能力に長けた月てんびん座ですが、意外にも、自分の能力を客観的に分析するのは、あまり得意ではありません。そんな時に、冷静&客観的な評価をしてもらうことで自分の実力を把握し、改善に向けた意欲が湧くようになります。

Libra

## 月 やぎ座

### やぎ座＝計画的に進める……は違っていた!?

ある程度の大雑把さが通じる職場であることが大切です。計画的といわれる月やぎ座ですが、家造りでいうところの基礎が固まっていれば、「あとは臨機応変に」で、動くところがあります。そのため、非常に細かいリクエストをされてしまうと、やぎ座ならではのフットワークの軽さが活かせなくなってしまいます。

Capricorn

## 月 いて座

### 職場の顔とプライベートの顔は結構違うんです

職場で仲良くなってもプライベートに介入されない、ドライな職場であることが重要です。サービス精神が旺盛な月いて座は、職場では周りが働きやすくなるように鼓舞して「自分ではない何者か」を演じますが、プライベートになると全くの別人になり、そこで休息を得ようとします。そのため、「ここまで」と分けてくれる職場選びが重要です。

Sagittarius

## 月 うお座

### 仕事中はめっちゃめちゃ厳しい星座

「仕事でしょ？　ちゃんとやろうよ」と、超シビアな中でも働くことができる環境であることがポイントです。月うお座はほんわかマインドであることが、もはや定説になっているかもしれませんが、実はオンの時は、超シビアなリアリストです。そのため、ガチで仕事に取り組めることと、抜きどころでは抜く、塩梅が効いた職場で能力を発揮します。

Pisces

## 月 みずがめ座

### 年齢差関係なく、精神性の成熟度が大事

精神的に熟成された人が集まっている職場であることが重要です。精神的に熟成された人とは、「自分の意見を述べることができる」「認識の違いを話し合える」「感情論ではなく、ビジネスパーソンとして議論を重ねられる」人のことです。このような職場であれば、安心して長い間、働くことができます。

Aquarius

# 私の人生を負に持っていく悪しき習慣は?

## 太陽 おうし座

### 我慢&ペース乱しにご注意を

周りのペースに合わせ過ぎると、負のスパイラルに陥りやすくなります。「私が、一番心地良く動ける速度で歩きまーす」が、モットーの太陽おうし座。そのため、自分のペースが尊重されないことや、自己犠牲のような形でペースを合わせて動くと、必ずガタがきます。一言で表現すれば、“ペースの自己犠牲に注意”です！

## 太陽 おひつじ座

### 外野の声は気にしなくていいよ

他人の意見に流された時、負のスパイラルに陥りやすくなります。「自分は、〇〇になる！」という意欲だけあれば、ガンガン前進できる太陽おひつじ座にとって、他人の意見に流されることは、持ち前の行動力を全て相手にコントロールされているようなものです。そのため、いかなる状況においても「自分は」という軸で行動をすることが大切です。

## 太陽 かに座

### 喜怒哀楽の大暴走にご注意を

感情大暴走による浅慮（せんりょ）な行動が、負のスパイラルに陥る原因です。とても感受性が高く、喜怒哀楽を素直に表現するため、とても愛嬌がある星座ですが、「嫌い！」「いや！」と、短絡的に感情に振り回されることで、失わなくても良い人や環境を失い、独りぼっちになることがあります。そのため、ひと呼吸置いて冷静になることが重要です。

## 太陽 ふたご座

### あなたの喋りたい言葉で喋っていいんだよ

“言葉の魔術師”という異名を取る太陽ふたご座。でも、意外にも、相手を優先し過ぎて言葉を選び過ぎると、負のスパイラルに陥りやすくなります。どういうことかというと、言葉を選んで話し過ぎることで、本当は自分が何を考えているのかが見えなくなってしまう……ということです。そのため、時には本心で話すことも重要になります。

## 太陽 おとめ座

### 困った時は困り事の「見える化」を推奨

「それって愚痴なの？　相談なの？」というように境目が曖昧になると、負のスパイラルに陥りやすくなります。ことを起こす前に必ず確認をする太陽おとめ座ですが、「こと」が思うように進まなくなると「改善を求めた相談」と「不平不満の愚痴」の境目が曖昧になり、ドツボにはまります。こんな時は、相談や愚痴を紙に書いて見える化しましょう。

## 太陽 しし座

### 一度だけでもいいから耳を傾けよう

「私は、こう決めたから」と、自分の決定に固執し過ぎると、負のスパイラルに陥りやすくなります。意思決定力に優れる太陽しし座ですが、長所も使い方を間違えれば、短所になります。このような状態は、「北に進めば目的地があると言われたけれど、私は南に目的地があると思う」という状態であるため、人の意見に耳を傾ける努力が必要です。

## 太陽 さそり座

### あなたを愛することも大切だよ

“無償の愛” これが、負のスパイラルに陥る原因です。愛という言葉は、とても心地良い言葉ですが、過度になれば、自己犠牲になることもあります。この状態は、飢えた人がパンを差し出すようなもので、最終的には自分が倒れてしまうのです。優しい愛&厳しい愛の、両方を使いこなすことが重要です。

## 太陽 てんびん座

### “私時間”の確保をするために脱・良い人

他人の話に耳を傾け過ぎて、自分の時間がなくなっていく……。これが、太陽てんびん座的な負のスパイラルです。「人が良さそうだねぇ」と言われやすいてんびん座は、その言葉の通り、相談に乗ることが多くなります。しかし、度が過ぎると、自分の時間を犠牲にしてまで耳を傾けてしまうため、ある程度の線引きをする必要があります。

## 太陽 やぎ座

### 「大丈夫」は「ダイジョバナイ」サインかも?

「大丈夫？」と聞かれて、「えっ？　大丈夫だよ？」という言葉が無意識に出てしまった時、これは要注意です。責任感が強い上、周りに迷惑を掛けたくないという意識が強い太陽やぎ座は、澄まし顔で「えっ？　大丈夫だよ？」と、返しますが、倒れる寸前の状態。「ちょっと手伝って欲しいな……」という一言が重要です。

## 太陽 いて座

### 詰め込み過ぎたら動けなくなった

「やりたいことが多過ぎて、定まらない！」これが、負のスパイラルの原因です。あらゆることに興味を持ちやすく、あれもしたいし、これもしたいという欲に従って、全部に手を出していたら何も形にならなかった……ということが多々あります。そのため、明確な目標を持ち、実現のために必要な選択肢を絞ると良いでしょう。

## 太陽 うお座

### 現実逃避の正当化 vs<br>課題と向き合うせめぎ合い

「僕は、全てを捨てて逃げ出したい」と、いわゆる現実逃避モードになると、負のスパイラルに陥りやすくなります。この状態になっているかどうかの判断基準は、正当化をしているか否かです。本来向き合うべき課題から目を逸らすのではなく、困難を困難とも思わない持ち前のポジティブさを発揮すれば、必ず乗り越えられます。

## 太陽 みずがめ座

### 理解されるためには理解を示すこと

「どうせ、理解されないし」という考えがよぎった時は、要注意です。個性濃度1億%の太陽みずがめ座は、持論を伝えても理解を示されることが少なく、理解されないことで孤独を感じやすくなります。この状態が悪化すると、周りとの関係を全て遮断するという極端な行動を取るようになります。理解されたいのなら、まず、相手を理解することです。

# 私の人生を負に持っていく悪しき習慣は？

## 月 おひつじ座

### ちょっとだけ休もうか

やり過ぎ、動き過ぎ、進み過ぎ……という時に、心身のバランスを崩してしまいます。「イケる！」というモードに突入すると、抜群の集中力を発揮する月おひつじ座ですが、人間ですので体力の限界があります。ですが、現在の体力と、心の体力が離れ過ぎていないかを確認する癖をつけておけば、万事OKです。

## 月 おうし座

### 心に荷物を溜め込み過ぎないように

「私が我慢をすれば……」という心理に突入すると、心身のバランスを崩してしまいます。「頼まれたことはやらなきゃ……」と、生真面目な月おうし座は、頑張り続ける中で、良いも悪いも溜め込んでいきます。ただ、こういう時は、そこそこ限界を迎えているので、抱え込んでいる我慢の荷物を人に半分、分けるようにしましょう。

## 月 ふたご座

### オーバーヒート＝ハムスターの回し車状態

ハムスターの回し車のように、脳内カラカラ回転状態になると、心身ともに疲れ果ててしまいます。名探偵のように頭の回転が速い月ふたご座ですが、長所も使い方を間違えれば短所となるように、「考え過ぎて、頭も心もオーバーヒート」となってしまうのです。そのため、頭の中にある言葉や情報を吐き出せる環境がマストです。

## 月 かに座

### 不安な時はパパッと吐き出しちゃおう！

「○○をやったらどうなるのかな……」と、不安の先読みをし過ぎると、心身ともに疲弊をして何もできなくなります。未知のもの、得体の知れない危険に敏感な月かに座は、先読みをし過ぎて、本来考えなくても良いことを考え過ぎて不安になります。こんな時は、不安を怒濤の如く吐き出すことによって回復していきます。

## 月 しし座

### 反省した時に自分を責めると危険信号

自己嫌悪に陥っている時は、心身のバランスを崩す危険サインです。例えば、本気で取り組んでいることが失敗した時。「どうしてできなかったのか……」「あの人はできているのに、なんで私は……」と、徐々に自分を責めて、やがて自己嫌悪に陥ります。こういう時は、「頑張ったね」と、過去の頑張りを認めてくれる人を頼りましょう。

## 月 おとめ座

### 思い詰めると寝ている時、1時間に一度は目が覚める

思い詰め過ぎは、心身のバランスを崩すサインです。月おとめ座は、言っていることへの理解と、言葉の裏側にある感情への共感の両方に長けた星座です。ただ、この長所が短所に変わると、理詰めの刃&感情の刃を自分に向けて、苦しみのドツボにはまってしまいます。こういう時は、紙に書いて頭と気持ちの整理をするのがおすすめです。

## 月 さそり座

### 「今日は何時まで」を絶対に決めよう！

土壇場に追い込まれた時は、要注意です。Dead or Alive的な思考がある月さそり座は、土壇場に追い込まれれば追い込まれるほど、本領を発揮します。ですが、生か死かという極端な思考から、寝食を忘れて没頭した結果、起きたらリビングに転がっていた……ということがあります。そのため、終わりの時間を決めて取り組むことが重要です。

## 月 てんびん座

### no Informationに気をつけられたし

どれだけネガティブマインドになっても、周りに心配を掛けないように振る舞うため、意外にも溜め込みがちな月てんびん座。そのため、一気に体調を崩し、「そんなことになっていたのなら、ちゃんと言ってよ！」と、周りから言われるまでがテンプレ。ですので、絶対に話しておかなければならない人には、きちんと伝えることが吉です。

## 月 やぎ座

### 息抜き&休み方を覚えると一気に楽になる

無意識体力クライマーズ・ハイに要注意です。やり遂げないと気が済まない性格のため、結果を出すまでとことんやり続けることがあります。さらに、この状態になると、スタミナの減りを感じにくくなるので、朝目覚めたら「あれっ？　体が動かない……」ということになります。ですので、少しでも休む時間を確保することが重要です。

## 月 いて座

### 隠れ寂しがり屋の月いて座さん

「独りぼっちか……」と、孤独感に苛まれている時は、要注意です。未来思考の月いて座は、いつでも先へ先へ進んでいくため、常に自分の前に人がいません。そのため、どこまで行っても独りぼっち……という感覚があります。この孤独感は、唐突に訪れることが多く、このような時は、同じいて座の人に相談するとケアしてくれます。

## 月 うお座

### つらい時はゲラゲラ笑えばいいんだよ

月うお座は、何の前触れもなく不安になります。また、うお座が住んでいる海の中でも、マリアナ海溝の海底に沈むような感じで、どっぷり不安になるのです。こうなると、世捨て人のような言動を取り始め、助けを求めるように何かに溺れるようになります。ですが、意外にも馬鹿話をするだけで元気になったりします。

## 月 みずがめ座

### 急成長している時こそ休めのサイン

成長を実感してきた時は、要注意です。スロースターターの月みずがめ座は、最初の3ヶ月間は、牛歩のような成長速度ですが、3ヶ月を過ぎると、驚くほどの速さで成長を遂げます。そして、「まだまだ行けるでしょ」という考えがよぎり、「そこまでやらなくても……」というレベルでやり続けて、体が動かなくなるという結末を迎えることがあります。

# 私が育ってきた環境が与えている影響と、癒やすべき心の傷（トラウマ）は？

## 太陽 おうし座

Taurus

### 確かな歩みを続けられる地道のプロ

軽率な判断をせず、1つ1つ積み木を積み上げるように物事を進める傾向が出てきます。ですが、超速で進めるケースもあれば、ゆっくり進めるケースもありますので、同じ太陽おうし座でも「ペースが違い過ぎるぞ……」ということが、よくあります。その中でも共通しているのは、そこに楽しみがあるかということです。

## 太陽 おひつじ座

Aries

### 負けず嫌いだけど、それは私に対して

超負けず嫌いの不屈のファイターになる傾向が出てきます。ただ、太陽おひつじ座にとって負けず嫌いという言葉の定義は、「自分自身に向けられる負けず嫌い」という意味です。そのため、やると決めたことが未達成のままでは納得がいかなくなり、達成するまでやり続ける、不屈のファイターのようになる力強い生き方が目立ちます。

## 太陽 かに座

Cancer

### 飴と鞭を使い分ける賢きママ

過保護にせず、叱るべき時はきちんと叱るという、デキるママのような傾向が出てきます。母性に溢れるといわれることが多い太陽かに座ですが、母性＝甘々マンマではなく、子どもがよその子どもに迷惑を掛けたら、きちんと叱り、良くできたら褒めるというふうに、教育における飴と鞭を使い分けて人と関わるようになります。

## 太陽 ふたご座

Gemini

### 異常な理解力の速さ

0から10まで話を聞かなくても、7くらいの段階で「OK。じゃあ、やろうか」という、頭の回転の速さを活かす傾向が出てきます。たまに、早合点になって失敗することもありますが、たとえ失敗しても、原因をチャチャッと分析。次の一手を打つため、いわゆる、理系男子のような考え方が目立つようになります。

## 太陽 おとめ座

Virgo

### 育成プランのオーダーメイド

「焦らなくていいから、一緒に考えて、一緒に成長していこうか」という傾向が出てきます。養育の女神・太陽おとめ座にとって人を育てる時の重要なポイントは、その人が最も安心しながら取り組むことができて、着実な手応えを感じてもらうことです。そのため、相手のペースに合わせて、最適な育成プランを組み立て、一緒に歩んでいくことができます。

## 太陽 しし座

Leo

### 上げて落としたりしないから、安心してね？

他人の失敗を咎めたり、他人を上げて落とすような笑いを取ることはしません。ガラスのハートの太陽しし座にとって、失敗を咎められることや、上げて落とすような関わり方をされることは、ガラスのハートが一撃で割れてしまう原因になります。そのため、他人に対しても、「人は人だから気にすることはない」と、肯定的に接することが多くなります。

Scorpio

## 太陽 さそり座

**誠心、誠意、誠実、
この3ワードが一番似合う**

「怖いくらい誠実な人だな……」という傾向が出てきます。大人になると、便宜的に嘘をついて、ことなきを得るような場面に遭遇することがあります。太陽さそり座は、そのような対応をすることはなく、きちんと真実を伝える誠実さを持っています。過去に嘘をつかれてつらい体験をしたさそり座は、戒めるように誠実な人であろうとします。

Libra

## 太陽 てんびん座

**言ってしまえば、喧嘩両成敗**

「やり過ぎて失敗した」ということとは無縁で、賢さMAXの判断をする傾向が出てきます。てんびんという名前の如く、公平でバランス感に富んだ判断をするため、手痛い失敗をすることは、ほとんどありません。この傾向は、不公平な扱いを受けたことによる「私は、そのようなことはしない」という、戒めなのかもしれません。

Capricorn

## 太陽 やぎ座

**侍気質だから“真面目”より“真剣”**

「真面目じゃないよ。真剣なんです」。これは、太陽やぎ座の核に当たる言葉です。真面目で堅物な印象を持たれますが、決めたことは絶対に成し遂げたいという真剣さからくるものであり、真面目という言葉は違和感を感じます。特に、厳格な環境で育った場合は、侍と侍が刀を抜いて対峙しているような真剣モードになりやすくなります。

Sagittarius

## 太陽 いて座

**純粋な子ども心から放つ、鋭い質問力**

常識に縛られない、永遠の18歳。これが、太陽いて座の特徴です。そのため、幼い頃から、大人が常識だと言い聞かせることに対して「どうして、それが常識だと思うの？」という問いを投げ掛け、大人を困らせます。特に、ステレオタイプな「常識の印籠」を掲げる人と関わることが多かった場合は、このような傾向が顕著に出ます。

Pisces

## 太陽 うお座

**実は、新常識を作り出せる賢き星座**

まるで惑星52Fという新しい世界から、新常識を持ち込むような、不思議な性格が目立ちます。そのため、今この地球に生きている人が持っている、当たり前や常識の数々に疑問を抱きやすくなり、新常識を生み出そうとします。ただ、不思議な発言と捉えられることが多いため、表立って発言できないこともあります。

Aquarius

## 太陽 みずがめ座

**唯一無二の存在になりやすい**

「エキストラなんてまっぴらごめん！　ナンバーワンよりオンリーワン！」という言葉を胸に、実現に向けてコツコツ精を出すようになります。「普通だね」と言われると残念そうな顔をし、「変わってるね」と言われて「ありがとう！」となるのは、育ってきた環境が個性を圧し、金太郎飴的な生き方を奨励する環境だったからかもしれません。

# 私が育ってきた環境が与えている影響と、癒やすべき心の傷（トラウマ）は？

## 月 おひつじ座

Aries

### 動かない後悔よりも、失敗を笑えたら勝ち

「どうして、私は、初めの一歩を踏み出せないのだろう……」という、心の傷を癒やすだけで、全てが上手くいきます。おひつじ座は、本でいうところの「はじめに」に、当たる部分を担当する星座ですので、初めの一歩を踏み出せるようになることが重要です。そのためにできることは、成功が約束された小さな一歩を踏み出すことです。

## 月 おうし座

Taurus

### 楽しく生きることに、遠慮しなくていいの

「私だけ、楽しいことをしていていいのかな……」という、心の傷を癒やすだけで、全てが上手くいきます。月おうし座にとって、楽しむことは何より重要です。ですが、どうしたことか、楽しむことに遠慮がちになったり、自分だけ楽しむことに罪悪感を感じます。こういう時は、一緒に楽しんでくれる人と、時間を共有するようにしましょう。

## 月 ふたご座

Gemini

### ツイン、片割れが見つかることが大事

「共に分かち合ってくれる人はいないのだろうか……」という、心の傷を癒やすだけで、全てが上手くいきます。月ふたご座は、その名の通り、共に分かち合えるツインを求めています。しかし、分かち合ってくれる人はいないという孤独から、人を遠ざけてしまうことがあるのです。大切なことは、素直な気持ちで、自分の言葉で相手と関わることです。

## 月 かに座

Cancer

### 不安の島流しは、やらなくていいからね

「誰一人、私の気持ちをわかってくれないのかも……」という、心の傷を癒やすだけで、全てが上手くいきます。月かに座にとって「わかってくれない」とは、論理的な理解ではなく、感情への共感です。ただ、感情は目に見えない物なので、共感が難しい人もいるのです。このような時は、素直に「ただ、共感して欲しい」と伝えるだけでOKです。

## 月 しし座

Leo

### 世界は、思っている以上に優しい

「世界は、私を傷つける恐ろしいものだ」という、心の傷を癒やすだけで、全てが上手くいきます。毅然とした態度の月しし座ですが、実は、心の中では、否定されることを恐れています。世界に対して恐れを抱くのではなく、「世界は、優しいものである」と信じ、弱さを曝け出すだけで、あなたを守ってくれる人がいることを知ることでしょう。

## 月 おとめ座

Virgo

### 脱・ちゃんとするマインド

「ちゃんとしなきゃいけない……」という、心の傷を癒やすだけで、全てが上手くいきます。いわゆる、優等生タイプの月おとめ座は、良い子であろうとすることがあります。なぜなら、そうすることで、多くの人から認められてきたからです。もしそれが、自分が望む姿ではないのなら、ちゃんとしない私も愛してくれる人と一緒にいることをおすすめします。

## 月 さそり座

**一人と独りは違う。あなたは独りじゃない**

「私は、どこに行っても独りぼっちだ」という、心の傷を癒やすだけで、全てが上手くいきます。深い繋がりを望む月さそり座ですが、ほとんどの人は、適当な距離で接しようとします。この体験を重ねると、無人島へ島流しにされたような感覚に陥るのです。「私は、深くあなたと繋がりたい」という核の部分にYESを出してくれる人とだけ関わりましょう。

## 月 てんびん座

**あなたの素を
受け入れてくれる人がいればいいの**

「聞き分けの良い子でいなきゃいけない」という、心の傷を癒やすだけで、全てが上手くいきます。少し、月おとめ座と似ていますが、根本的に違う点は、「言われたことが意に添わないことであっても、笑顔でYES と言う」という点です。そのため、聞き入れたくないことに対してハッキリNOと主張した時でも、抱きしめてくれる人が必要です。

## 月 やぎ座

**本当は垢抜けている。
そんなあなたを思い出そう！**

「しっかり者でなくちゃいけないんだ……」という、心の傷を癒やすだけで、全てが上手くいきます。与えられたこと、決めたことを絶対にやり遂げる月やぎ座が、しっかり者であろうとするのは、自然なことかもしれません。しかし、本来のやぎ座は、どこか垢抜けていて気負いがありません。脱・しっかり者マインドが大切です。

## 月 いて座

**自由意志で不自由を選んでいる**

「どうして、私は不自由なんだろう……」という、心の傷を癒やすだけで、全てが上手くいきます。自由を好む月いて座にとって、不自由は大敵です。しかし、多くの場合は、誰かによって不自由にされているのではなく、不自由になる生き方を選んでいるのです。こういう時は、自分束縛リストを書いて、燃えるゴミの日に一緒に燃やしてしまいましょう。

## 月 うお座

**あなたを求めている人は、
必ずいるから大丈夫**

「こんな私でも受け入れてくれるところ、人はいるのだろうか……」という、心の傷を癒やすだけで、全てが上手くいきます。月うお座は、他のどの星座よりも、高い視点で物事をリアルに考えているため、なかなか受け入れられることがありません。そのため、「そんなあなただからいいんだよ」と言ってくれる人と一緒にいることをおすすめします。

## 月 みずがめ座

**ダメじゃないよ。ベストを尽くしたんだよ**

「こんなレベルじゃダメだ」という、心の傷を癒やすだけで、全てが上手くいきます。中途半端な状態をそうかんたんに受け入れられない月みずがめ座は、何をするにしても、究極まで磨き上げようとします。そのため、「こんなレベルじゃダメだ」と思い込みやすくなるのです。「今できる最善を尽くした」と考え方を変えるだけでも、気が楽になります。

# 仕事も含め、私の人生の使命とは?

## ♉ 太陽 おうし座

### 理論ゼロでOK!<br>感じれば必ず答えが見つかる!

「どうしたら良いのかわからない？　感じて！　その先に、答えはある！」と、理論ガン無視でもOKなので、感じるままに動くことの大切さを、行動を通じて伝えることが重要です。"習うより慣れろ"という言葉があるように、その時はわからなくても、やり続ける中で自然と道を切り拓いていくのが、太陽おうし座の持つ使命なのです。

## ♈ 太陽 おひつじ座

### 前人未到の土地でも切り拓いて進め!

「ついてこい！　道は、俺が切り拓く！」という、猛攻モードでガンガン攻め抜くことが重要です。なぜなら、太陽おひつじ座が持っている、前人未到のジャングルでも恐れず前進する勢いは、未来に対して恐れを抱く人にとって、勇気を与えるからです。そんなおひつじ座の背中は、ついてきてくれる人が、必ず守ってくれます。

## ♋ 太陽 かに座

### 恐れるものなど何もない、<br>昭和の最強お母さん

「不安？　恐怖？　私が寄り添って、前に進むための勇気に変えたるわ！」と、昭和のめちゃ強お母さんのような度胸を活かすことが重要です。高い共感性を持ちながら、冬に積もり積もった雪が、春になれば溶けるように、自然と人の背中を押すのが得意な太陽かに座。この気質を活かせば、多くの悩める人々が、あなたのもとを訪れることでしょう。

## ♊ 太陽 ふたご座

### トラブル解決?　朝飯前ですよ

「私にかかれば、どのようなトラブル解決も朝飯前」と、ふたご座が持っている特有のスキル「考え方で解決」を活かすことが重要です。太陽ふたご座にかかれば、どのようなトラブルも、「それって、〇〇のように考えれば良くね？」と、たった一言伝えるだけで、サクッと解決することができるのです。

## ♍ 太陽 おとめ座

### 相手の才能にマッチした役割を<br>見つける天才

「他の何者にもなろうとしなくていい。あなただからこそできる役割が必ずある」というふうに、その人だけが持っている才能を引き出し、その人だからこそできる役割が見つかるまでサポートしましょう。見ていないようで、ちゃんと見ている太陽おとめ座の手に掛かれば、ここでお伝えしている結果を出すのは朝飯前です。

## ♌ 太陽 しし座

### 人の失敗を全て受け止められる鋼の器

「大丈夫。何があっても、私が全部受け止める」と、誰もが惚れてしまうような受け止め力を活かすことが重要です。成熟した太陽しし座は、果敢に挑戦して失敗した人を絶対に責めません。むしろ、失敗して落ち込んでいる人を肯定し、徹底的に面倒を見るのです。あなたの受け止め力は、多くの人の受け皿となるでしょう。

SCENE 11

# 太陽星座で占う

## 太陽 さそり座

Scorpio

**信じる強さで、
ポテンシャルをMAXに引き上げる**

「私は、あなたを信じ続ける」。この一言を伝え、信じ続けましょう。あなたは、心の底から信じてもらった経験はあるでしょうか？　人というのは不思議なもので、信じてくれる人がいると、本来持っているポテンシャルを最大限にまで引き出せるようになります。太陽さそり座の信じる強さは、人の能力を最大値にまで引き上げることができるのです。

## 太陽 てんびん座

Libra

**精神的自立、経済的自立等、
総合的にサポートする天才**

「あなたが、自分で決めて生きられるようになるまで、私は、あなたのそばにいる」と、相手が自立するまでのサポートをすることが重要です。質問をして相手から答えを引き出し、「あなたがそうしたいのなら、そうすることがいいんだと思う」と、常に相手の判断を尊重し、地頭を養い、自立した人に育てることがとても上手いのです。

## 太陽 やぎ座

Capricorn

**「大丈夫」の一言で与えられる、
極上の安心感**

「それだけやったんだから、大丈夫。私が保証するよ」と、揺らぎやすい人の足場を固めて、安心感と確信をもたらす、力強い言葉を伝え続けましょう。「料理本のレシピを見ずに料理を作ります」という、大雑把なところもある太陽やぎ座ですが、全て経験等の根拠があった上でのことです。だからこそ、人に安心感と確信を与えられるのです。

## 太陽 いて座

Sagittarius

**未来の絵図をチャチャッと描いて提出**

「秒で描いてみせましょう。あなたの10年後の未来を」と、未来志向の才能をバンバン活かすことが重要です。原点回帰とは無縁のいて座ですが、その分、未来を描くためのデザイン力に優れています。多くの人は、今を生きることに精一杯ですが、理想の未来を提示されることで生きる活力が湧き、今を変え、未来を実現できるのです。

## 太陽 うお座

Pisces

**変わらない想いで
待っていてくれるからこそ……**

「離れていても、私はいつも、本気であなたを想っている。この気持ちは変わらない」と、本気で人を愛するとはどういうことなのかを、力強く語り続けましょう。ただ、この想いが届くのには、とても時間が掛かります。ですが、相手が窮地に陥った時、「私を想ってくれている人がいる」と、立ち直るきっかけになり、後日談的に伝わるのです。

## 太陽 みずがめ座

Aquarius

**成長青天井の人をプロデュースすべし**

「もし、世界中がキミの才能を否定しても、私は、キミの才能を信じている」と、徹底的に相手の個性を信じ、プロデュースしていきましょう。あらゆる角度から相手を分析し、「ここ、まだ伸びるな」と思えば、適切なプランを提案できる太陽みずがめ座。この長所を活かせば、相手を売れっ子アイドルのように成長させることができます。

# 仕事も含め、私の人生の使命とは?

## 月 おうし座

### 月おうし座の感覚には、必ず裏づけがあるんだよ

「あとは、あなたの感覚を信じれば、全て上手くいくよ」と、言語化できない感覚を信じてもらえるような言葉掛けをしましょう。感覚とは、意味不明なものではなく、経験に裏づけされたものです。修行を重ねた寿司職人がシャリの粒を握っただけで大体把握できるように、必ず裏づけがあるのです。この例えを添えて伝えれば、必ず相手に届きます。

## 月 おひつじ座

### 熱と心だけで人を動かせる

「あなたが望めば、あなたはどんな結果も作り出すことができるんだ」と、相手が気づいていない、心からの望みに気づいてもらえるよう、力強いメッセージを届けましょう。月おひつじ座は、根拠がなくてもいいのです。なぜなら、最終的に人を動かすのは「理（ことわり）」ではなく、熱がこもった「心」だからです。

## 月 かに座

### 我が子を愛するかの如く

「息子が可愛過ぎてやばい」という状態になりやすい、愛情たっぷりマンマの月かに座。“目に入れても痛くない……”という言葉があるように、月かに座が目を掛けた人に対しては、あらゆる手段を講じて心身共にサポートをしようとします。その、心から溢れ出て止まらない愛情を、恥ずかしげもなく相手に伝えていきましょう。

## 月 ふたご座

### 伝わるタイミングを見計らって、言葉のパスを出す

喜ばれる言葉選びの貴公子という異名を取る月ふたご座。普段は、論理的に話すことが多くなりますが、「このタイミングで、頭に届くことはないだろうな」と察すると、心が軽くなるような言葉に変えていきます。「私の言葉は、人を救えるんだ」と、あなた自身が強く信じ、その上で、喜ばれる言葉選びをすると、より伝わりやすくなるでしょう。

## 月 おとめ座

### たった一字添えるだけで人を癒やせる、細かいケアカ

「もう、あなたは十分に考えて頑張ってきたんだよ」と、過去の頑張りを認めることで、相手の心が安心感で満たされていきます。どんな人でも、認められることは嬉しいものです。「頑張ってね」と言われると、「もう頑張ってるんだが……」と思われますが、「頑張って“る”ね」と、たった一字添えるだけで、過去の頑張りを認めた表現になります。

## 月 しし座

### 昭和の熱血ドラマよろしく状態でOK

「あなたが心の底から、『やりたい！』と思って決められるようになるまで、とことん頼れ！」と、昭和の熱血ドラマよろしく状態を出していきましょう。「プライベートな人にしか見せられない」ことを意味する月星座を出すのは、結構恥ずかしいと感じること。恥ずかしいかもしれませんが、あえてやってみましょう！（笑）

Taurus Aries Cancer Gemini Virgo Leo

## 月 さそり座

### 全星座中、トップクラスの献身性

「どれだけあなたが絶望していても、私は、あなたに寄り添う」と、八方塞がりで困窮して、1ミリも心に余裕がなくなっている人に、とことん寄り添いましょう。月さそり座は、寄り添うというよりも「尽くす」という表現の方があっているかもしれません。あなたの献身性は、絶望している人が再起する力強さになっているのです。

## 月 てんびん座

### “大体”のエスコートなのに“神対応”のエスコート

「心が疲れた時くらい、自分ファーストで動いてみたら？」と、人に合わせ過ぎて、自分を蔑ろにしてしまう人の心をサポートしましょう。人に合わせ過ぎると、「私は、結局何がしたいのかな……」と、自分が見えなくなってしまうものです。そんな時に、自分ファーストの考え方を伝えるだけで、相手に安心感を与えられ、神対応だと感謝されます。

## 月 やぎ座

### ピンチヒッターを頼まれると、能力全強化で貢献する

「何かあったら、私に任せて。絶対に何とかするから」と、心が決まればドンとこいの気質を活かしましょう。これは、野球でいうところの、3-2のビハインドで迎えた9回裏2アウト満塁に、ピンチヒッターを頼まれている状態です。普通ならガクブルものですが、心が決まればドンとこいの月やぎ座は、ここで一発逆転できる能力と度胸があるのです。

## 月 いて座

### 深刻な悩みでも、ケロッと一言添えて解決しちゃう天然系

「やりたいようにやったらいいじゃん。一度きりの人生なんだから」と、相手が超深刻に悩んでいても、シンプルなメッセージ&持ち前の楽観性を活かして、心の底から望む方向に舵を切れるようになれるまで、サポートしましょう。そのためにも、まずは、あなた自身心の底から望む生き方をしている必要があります。

## 月 うお座

### “いい加減”と“良い加減”の違いを語り、心赴くままに……

「心、赴くままに生きれば、人生は上手くいくんだよ」という言葉を、相手の心に届くように、そっとプレゼントしましょう。この言葉には、何も考えていない“いい加減”ではなく、心が軽やかになるための“良い加減”という意味が込められています。そして、心が軽やかになった相手は、今すべきことに集中し、より良い人生を送れるのです。

## 月 みずがめ座

### 何かあった時は、単騎で敵陣に乗り込んで味方を守る

「外野の声は放っておいてOK。あなたはあなたの成すべきことをしたらいい。何かあったら、その時は任せて」という、ブレない強さを出してサポートしましょう。月みずがめ座は、いざとなれば、単騎で敵陣に乗り込んで戦い、味方を守る強さと度胸があります。そんなみずがめ座からもらう力強い一言は、どんな人にも立ち向かう勇気を与えます。

最後に……
みなさん、最後まで読んでくれてありがとうございます！
途中で挫折したり、諦めてしまわないように、なるべくわかりやすい言葉で説明することを心がけました
だからといって、超初心者の方のためだけでなく、この本に書かれていることを身につければ、プロの占星術師として活躍することもできるほど本格的な内容になっています
キラ
ン
Good!
私は、プロは目指していないけれど、自分の悩みを星よみで解決できるようにもっと勉強していくつもり
自分のことを知ると、悩みに対する解決法がわかるからね
でも、自分のことがサクサク鑑定できるようになったら、
友だちや家族など、周りの人が悩んでいるときも役立ててほしいです
この本を手に取ったあなたを発信源として、少しでも多くの人が、あなたの星よみで幸せになることを願っています
Let's Enjoy!!

## *Message*

ここまで読んでくださり、ありがとうございます。
最後に、1つだけ伝えさせてください。
もし、この本を読まれた後に、「アスペクトを入れた鑑定は難しそうだから、サインとハウスだけで鑑定してみようかな？」と、思われたときは、その心のままに鑑定してみてください。その日、できる限りの力で鑑定したことで、人生が変わることもあります。
また、大切な人を鑑定したいと思ったら、ぜひ初心者の方でも挑戦してみてください。「あなたのために」と、人を想って綴った文章は、必ず喜ばれます。
「あなたのために」「すべては人のために」という想いを心にセットして、できることから小さな一歩を踏み出してみてくださいね。

星読みコーチ だいき

＊月2回、TwitterのSpacesで「ほろ酔い・星読みお話会」をしていますので、ぜひ、遊びにいらしてくださいね！ 無料LINE公式も運営しています。Twitterで『星読みコーチだいき』と検索して頂ければ、プロフィール欄からご登録できます。


## *Special Thanks*

執筆を進めていく中で、「もうちょっと、○○座さんの性格を深掘りしたいな……」という気持ちが湧き上がってきた時、星座の生態調査ヒアリングにご協力頂いた方を紹介させてください。本当に、助かりました！
フォロワー様が1000名前後だった頃の仲良しさんもいますし、いつもリプライで絡んでくださる方。また、僕から星よみを学んでくださっているクライアントさんもいます。基本、Twitterで繋がった方が大半ですが、7年もの間、僕の仕事をサポートしてくださっているコーチだけど、実は、友人という方も登場しています。
皆さん、本当に素敵な方です。ぜひ、TwitterでIDを検索して、楽しく関わって頂けると嬉しいです。

- やこ (@tomomi_0302)
- 西園 郁 (@wild_berry59)
- ダウン グレン (@gren1511)
- なっちゃん@鳴海 慎 (@0214_nacchan)
- 相性星よみ師キク (@kiku_SF)
- こにー@宿縁タロティスト (@conys_tarot)
- ＊風の占星伝道師＊空 玲二＊ (@kinoshita_reiji)
- なかのたいち@中卒嬉業社長 (@yy_marketing_tn)
- りりぃ (@1011_kiko)

＊おひつじ座さんの愛娘様にもご協力頂きました。

星読みコーチだいき（ほしよみこーちだいき）

いて座。占星術師。個人鑑定を行うほか、「オリジナルの表現で、サクサク鑑定可能なプロの占星術師に3ヶ月でなれる」オンラインスクールを主宰。シンプルに、かんたんに、楽しく「ホロスコープの読み方」を解説しているのが特徴。スクール生からは、プロの占星術師を多数輩出している。オリジナルの表現で発信するTwitterも人気。月に2回、TwitterのSpacesで開催される「ほろ酔い・星読みお話会」は、毎回参加者が1000名を超える。

● Twitter：@komorebi_daiki
● YouTube：だいきの星読みチャンネル
● ニコニコチャンネルプラス：星読みコーチだいきの爆笑ホロスコープゼミ

星よみの教科書
1時間でホロスコープが読めるようになる本

2023年5月25日　初版発行

著者　星読みコーチだいき
発行者／山下 直久
発行／株式会社KADOKAWA
〒102-8177　東京都千代田区富士見2-13-3
電話 0570-002-301（ナビダイヤル）

印刷所／大日本印刷株式会社
製本所／大日本印刷株式会社


ISBN 978-4-04-606255-0　C0011